Partir du bon pied :

guide de grossesse et d'accouchement

2e *édition*

Partir du bon pied : guide de grossesse et d'accouchement s'inspire de la directive clinique de la SOGC intitulée *Partir du bon pied : directives sur les soins pendant la grossesse et l'accouchement*. Le texte est une adaptation de la directive et a été rédigé, à l'intention du public, sous la direction des personnes suivantes :

D^re **Nan Schuurmans**, FRCSC, Edmonton (AB) (présidente de la SOGC 1996-1997)
Dr **André Lalonde**, FRCSC, vice-président administratif de la SOGC, Ottawa (ON)

Rédaction :	**Maryhelen Vicars & Associates**, Edmonton (AB)
Conception :	**Halkier + Dutton Design Inc.**, Edmonton (AB)
Illustrations :	**Arlana Anderson**
Conseillers :	Les membres du Comité de pratique clinique-obstétrique de la SOGC :

Dr Guy-Paul Gagné, FRCSC, LaSalle (QC)
Dr Ahmed Ezzat, FRCSC, Saskatoon (SK)
D^re Irene Colliton, Edmonton (AB)
Brenda Dushinski, inf., Calgary (AB)

Remerciements :
Dr **Jean-Marie Moutquin**, M.Sc., FRCSC, Québec (QC)
Dr **John Lamont**, FRCSC, Hamilton (ON)
D^re **Geeta Sukhrani**, FRCPC, Edmonton (AB)
D^re **Shirley Gross**, CM, CCFP, The Edmonton Breastfeeding Clinic, Edmonton (AB)
Louise Aubrey, Dt.P., Unité de la nutrition et de la saine alimentation,
Santé Canada, Ottawa (ON)
Janet McLeod, pour sa contribution inestimable à la préparation de cet ouvrage
Pharmaprix pour son appui à la publication de ce guide

Une subvention à fin éducative a été accordée par **Janssen-Ortho Inc.**

Adaptation de l'anglais : Lise Vincent

Tous droits
réservés, © 1998
2e édition, 2000

La Société des obstétriciens et gynécologues du Canada
780, promenade Echo, Ottawa (ON) K1S 5N8
et **Phase V Communications**
759, square Victoria, Bureau 103, Montréal (QC) H2Y 2J7

Données de catalogage avant publication (Canada)
Vedette principale au titre:
Partir du bon pied : guide de grossesse et
d'accouchement

2e éd.
Publié aussi en anglais sous le titre: Healthy beginnings.
Comprend un index.
ISBN 0-9698463-5-5

1. Grossesse--Miscellanées. 2. Accouchement--
Miscellanées. 3. Nouveaux-nés--Soins--Miscellanées.
I. Maryhelen Vicars & Associates II. Société des
obstétriciens et gynécologues du Canada

RG525.H4314 2000   618.2   C00-900522-6

Renseignements importants

Nom :

Téléphone :

Prestateur de soins :   Téléphone :

Infirmière/secrétaire :   Répondeur :

Pédiatre :   Téléphone :

Médecin de famille :   Téléphone :

Hôpital :   Téléphone :

Adresse :

Service ambulancier :   Téléphone :

Conseillère d'allaitement :   Téléphone :

Infirmière de santé publique :   Téléphone :

Aide domestique :   Téléphone :

Voisin :   Téléphone :

Téléphone du conjoint le jour :

Date prévue de l'accouchement :

Groupe sanguin :

Rendez-vous pour suivi médical de la grossesse

Date	Jour	Heure
premier rendez-vous		

Rédigé par la Société des obstétriciens et gynécologues du Canada, ce guide vise à donner aux femmes les moyens d'action et l'information nécessaires pour qu'elles puissent exercer de bons choix pendant leur grossesse. Il s'inspire d'une directive de la Société intitulée *Partir du bon pied : directives sur les soins pendant la grossesse et l'accouchement* dont les médecins canadiens se servent dans l'exercice de leur profession pour prendre des décisions à la lumière de la recherche la plus récente.

On a établi que l'information que vous possédez au sujet de la façon dont votre corps se transforme en vue de donner la vie, ainsi que ce dont votre bébé aura besoin pour se développer, a une forte incidence sur le bon déroulement de votre grossesse et sur la santé de votre enfant.

Les conseils et les renseignements qu'offre le guide s'appuient sur l'expérience clinique, c'est-à-dire que toute l'information donnée est le fruit de recherches spécialisées et dignes de foi, et ne repose pas sur diverses opinions et hypothèses. C'est à la faveur d'une étude effectuée à l'échelle internationale qu'a germé l'idée du présent guide. Cette étude révèle que, lorsqu'elles sont conscientes des problèmes possibles et de la façon de les éviter, les femmes enceintes ont des grossesses plus saines et accouchent à terme de bébés en santé et de taille normale.

Comment utiliser le guide

La lecture du guide *Partir du bon pied* vous renseignera sur ce que vous vivez maintenant et sur ce que vous vivrez bientôt; notez-y toutes les questions auxquelles vous n'avez trouvé réponse et apportez-le à votre prochain rendez-vous. Lors des visites chez le médecin, prenez des notes aux endroits prévus à cet effet, surtout si votre conjoint ne peut vous y accompagner.

De pair avec les fiches normalisées que compile votre médecin, le guide *Partir du bon pied* constitue une partie importante de votre dossier médical. Notez-y les changements, tant physiques qu'émotionnels, que vous observez chez vous. Servez-vous en comme aide-mémoire à votre prochain rendez-vous ou même pour vous rappeler, dans quelques mois ou plusieurs années, ce moment précieux de votre vie.

Le guide ne pourrait remplacer les autres excellents livres, vidéos, cassettes audio et sites web recommandés par votre médecin ou par la personne qui vous prépare à l'accouchement. Aucun livre ne saurait se substituer aux conseils de votre médecin et à des soins prénataux prodigués selon vos besoins particuliers.

Note à l'intention des usagers
Dans le présent ouvrage, en vue d'alléger le style, on a utilisé le masculin ou le féminin qui peut viser tout aussi bien les femmes que les hommes.

« *Pour moi, un des aspects les plus satisfaisants de l'exercice quotidien de la médecine est d'aider les femmes à comprendre le fonctionnement de leur corps, et, lorsqu'il y a un problème, de leur en expliquer la cause et la façon d'y remédier.*

Pressés par leur charge de travail, médecins et prestateurs de soins ne peuvent pas toujours expliquer aux femmes tout ce qui est nécessaire pour qu'elles puissent prendre des décisions éclairées au sujet de leur santé.

J'espère que le présent guide vous donnera les renseignements dont vous avez besoin pendant votre grossesse et qu'il favorisera la communication entre vous et votre médecin. » *(Traduction libre)*

Dre Nan Schuurmans,
FRCSC, SOGC
Comité de pratique clinique
- obstétrique

« *Voici un guide d'information courante qui permettra aux femmes, à leur famille et leur enfant, de partir du bon pied.* »

Dr André Lalonde,
FRCSC, vice-président
administratif de la SOGC

DEPUIS PLUS DE 60 ANS
LES FEMMES COMPTENT SUR NOUS
POUR DEMEURER UN PRÉCURSEUR.

Depuis que nous avons mis au point le contraceptif oral, nous continuons d'innover, d'une décennie à l'autre, en sachant concevoir les premiers, de meilleures solutions.

Car chez **JANSSEN-ORTHO** la santé et le bien-être des femmes c'est plus qu'une spécialité, c'est un engagement.

www.janssen-ortho.com

JANSSEN-ORTHO Inc.

Notre engagement, la santé des femmes

Table des matières

Chapitre 5
Prête pour la fin du parcours

Chapitre 6
Bientôt l'arrivée

Chapitre 7
Prenez soin de vous

Chapitre 8
Prendre soin de votre bébé

AUX PRISES AVEC DES NAUSÉES?

Grâce au Motherisk[1], une ligne d'écoute et d'intervention téléphonique sur les **Nausées** et les **Vomissements** de la **Grossesse (NVG)** peut vous aider.

Renseignez-vous sans frais pour obtenir l'aide d'un professionnel

1- 800-436-8477

ou visitez notre site web au **www.motherisk.org** pour de judicieux conseils.

[1] Le Motherisk est un programme de recherche clinique et d'enseignement qui offre un service conseil sur la prise de médicaments durant la grossesse, sur les risques d'exposition aux produits chimiques et sur les risques potentiels de transmission de maladies de la mère à l'enfant à naître.

 THE HOSPITAL FOR SICK CHILDREN - UNIVERSITÉ DE TORONTO

Chapitre 1

Préparation à la grossesse

Le cycle menstruel

D'une durée moyenne de 28 jours, le cycle menstruel peut prendre entre 23 et 35 jours. Chez presque toutes les femmes, le cycle varie quelque peu d'un mois à l'autre.

Votre corps produit des hormones qui régularisent tous les stades du cycle. Elles font mûrir l'œuf dans l'ovaire et déterminent à quel moment celui-ci sera libéré (ovulation). L'ovulation se produit environ 14 jours avant le début de vos prochaines règles.

C'est également à cause des hormones que la muqueuse de l'utérus (endomètre) s'épaissit et se tapisse d'une couche de cellules et de tissus particuliers. Si les spermatozoïdes de votre conjoint ont fécondé l'ovule, cette couche de cellules et de tissus forme un nid protecteur où l'œuf fécondé pourra se développer et devenir un bébé. Lorsque la fécondation n'a pas lieu, la couche de cellules et de tissus s'élimine du corps de la femme au moment des règles.

Vous avez décidé de faire un enfant et espérez devenir bientôt enceinte? La lecture du premier chapitre de notre guide vous permettra de donner à votre bébé une bonne longueur d'avance.

La plupart des femmes connaissent l'importance, lorsqu'elles sont enceintes, de prendre soin d'elles-mêmes et de leur enfant à naître. Vous ne vous rendez peut-être pas compte à quel point votre alimentation et votre bonne forme physique sont également importantes. Dans le premier chapitre, nous examinerons comment votre corps se prépare à donner la vie et les moyens que vous pouvez prendre pour favoriser une grossesse normale et la naissance d'un bébé en santé.

Tout commence par un œuf

Tous les mois, à un moment précis du cycle menstruel, un « œuf » se dégage de l'un des ovaires : il s'agit de l'ovulation. L'œuf (ovule) se dirige ensuite vers l'utérus en passant par la trompe de Fallope. La femme deviendra enceinte s'il y a fécondation, c'est-à-dire si un spermatozoïde s'enfonce dans l'œuf. Aussitôt, l'œuf se fractionne, d'abord en deux, puis en quatre, puis en huit parties et ainsi de suite.

L'œuf poursuit sa descente dans la trompe tout en continuant à se fractionner et, au bout de 7 jours, il atteint l'utérus où il s'enfonce dans la muqueuse épaissie appelée endomètre; il s'agit de l'implantation. Au cours des 8 premières semaines, on appelle l'œuf fécondé un embryon. Ensuite, et jusqu'à la naissance, on parlera de fœtus.

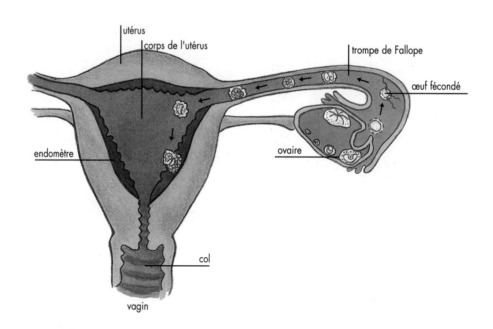

Comment votre corps fournit-il tout ce qui est nécessaire à une nouvelle vie?

Le bébé trouve dans l'utérus tout ce dont il a besoin pour survivre et se développer. Il est protégé dans une « poche » remplie de liquide amniotique. Le placenta, organe composé de vaisseaux sanguins et de tissus, solidement attaché à la muqueuse de l'utérus de la mère, relie le bébé au monde extérieur.

Le placenta relie le fœtus à sa mère. Le développement du placenta commence dès l'implantation et se poursuit tout au long de la grossesse. Lorsque le sang de la mère circule dans le placenta, il se produit un échange bénéfique d'oxygène, de nutriments et d'anticorps protecteurs. Au retour, le sang ramène les déchets fœtaux dans le système sanguin de la mère vers ses organes où ils seront éliminés.

Le placenta fabrique et sécrète plusieurs hormones, entre autres l'œstrogène et la progestérone, éléments déclencheurs de bon nombre des changements que subit le corps de la femme au cours de la grossesse. Une de ces hormones, fabriquée exclusivement par le placenta,

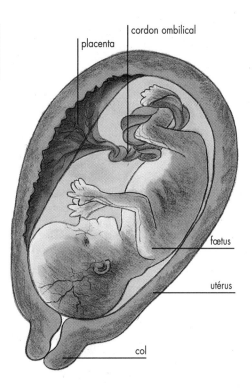

placenta | cordon ombilical | fœtus | utérus | col

s'appelle hormone gonadotrophine chorionique (HGC). C'est la présence de cette hormone dans le sang ou l'urine d'une femme qui donne un résultat positif au diagnostic biologique de grossesse (test de grossesse).

Des chiffres étonnants

25 % des femmes qui ont des rapports sexuels sans utiliser de moyen de contraception deviendront enceintes au cours du premier mois.

85 % deviendront enceintes au cours de l'année.

85 % des enfants naîtront moins d'une semaine avant ou après la date prévue de l'accouchement.

Premiers signes de grossesse

Absence de menstruation

Fatigue inhabituelle

Sensibilité et picotements des seins

Envies fréquentes d'uriner

Sensation de gonflement

Nausée, vomissements

Tout saignement différent des règles

La manifestation d'un de ces signes, surtout s'il est combiné avec l'absence de menstruation, peut indiquer que vous êtes enceinte (même si vous avez toujours utilisé une méthode fiable de contraception).

Changements pendant le cycle menstruel

(1) **Une augmentation des taux hormonaux stimule l'ovulation** qui se produit 14 jours avant le début des prochaines règles.

(2) **La membrane qui tapisse l'utérus s'épaissit** en vue de préparer un nid protecteur pour l'ovule fertilisé.

(3) **Le col sécrète une quantité** plus abondante de mucus clair et coulant.

(4) **L'ovaire libère l'ovule** qui entreprend alors sa descente le long de la trompe de Fallope.

(5) **La température du corps augmente** pour quelques jours immédiatement après l'ovulation.

Connaissez bien votre cycle

Si vous ne notez pas encore vos cycles menstruels, voilà une bonne occasion de commencer à le faire. Inscrivez les jours de vos règles sur un calendrier et vous aurez bientôt en main un document qui vous permettra de connaître ce qui est normal dans votre cas, et de déterminer à quel moment vous êtes le plus fertile et, par conséquent, le plus susceptible de concevoir. Lorsque vous serez enceinte, une bonne connaissance de vos cycles aidera votre médecin à mieux prévoir le jour où votre enfant naîtra (la date probable de l'accouchement). On se sert de cette date ainsi que de la date du début des dernières règles pour évaluer la croissance du bébé durant la grossesse.

La facilité avec laquelle vous devenez enceinte dépend en bonne partie de votre cycle menstruel. Vous êtes le plus fertile près du temps de l'ovulation, et si vous désirez devenir enceinte, ce sera le bon moment pour vous et votre partenaire d'avoir des rapports sexuels. Comment savoir à quel moment se produit l'ovulation? Vous déterminerez le moment de votre ovulation en comptant à rebours 14 jours à partir de la date à laquelle doivent commencer vos prochaines règles. La plupart des femmes n'ont rien de particulier à faire pour devenir enceintes : tout se passe bien naturellement. L'observation de certains signes indicateurs d'ovulation vous permettra de cibler, si nécessaire, les jours les plus favorables pour concevoir.

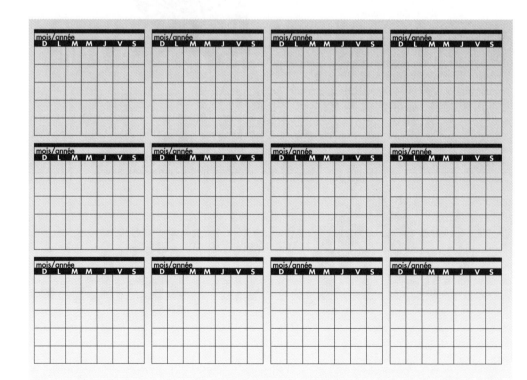

Signes qui indiquent une modification du mucus

Presque chaque jour, une petite quantité de mucus s'échappe du col de l'utérus. Vers le temps de l'ovulation, le mucus devient très clair, plus abondant et plus coulant, un peu comme le blanc d'un œuf cru.

Malaises abdominaux

À l'ovulation, certaines femmes éprouvent un ballonnement ou un léger malaise au bas du ventre.

Voyez votre médecin *avant* de devenir enceinte

Prenez rendez-vous avec votre médecin dès que vous planifiez une grossesse. La consultation aura surtout pour but de tenter de prévenir les problèmes qui pourraient survenir avec la grossesse. On vous posera des questions au sujet de vos antécédents médicaux, de ceux de votre famille, des médicaments que vous prenez, de votre alimentation, des grossesses précédentes, de vos antécédents sexuels et de votre emploi.

Si tout va bien, aucune autre consultation ne sera nécessaire avant que vous pensiez être enceinte.

Il est important de vous renseigner autant que vous le pouvez au sujet de la grossesse et de l'accouchement. Des études ont démontré que les femmes qui s'étaient renseignées au sujet de la grossesse étaient plus susceptibles de profiter de leur état. L'expérience vécue par ces femmes leur procurait une plus grande satisfaction, car elles sentaient que les connaissances acquises leur avaient permis d'avoir une meilleure emprise sur leur grossesse et sur leur accouchement. Une des études a clairement démontré que les femmes qui avaient suivi des cours prénataux avaient un moins grand besoin de médicaments pour atténuer la douleur au cours du travail, soit qu'elles aient éprouvé moins de douleur ou qu'elles aient été mieux préparées à y faire face. Une autre étude importante semble indiquer que les femmes renseignées au sujet des facteurs qui peuvent entraîner une naissance prématurée étaient plus susceptibles de mener leur grossesse à terme (voir page 40). Bien sûr, il est important de recevoir régulièrement des soins prénataux, mais il y a, en plus, un certain nombre de précautions que vous pouvez prendre vous-même pour assurer que votre bébé parte vraiment du bon pied.

Est-ce qu'il faut vraiment parler de ça?

Il est raisonnable de parler directement et ouvertement de sa santé et de son mode de vie. L'équipe qui s'occupe de vous doit avoir une bonne idée de votre situation pour pouvoir planifier avec vous une saine grossesse et un bon accouchement.

Notes - La consultation précédant la grossesse

_____

_____

_____

_____

_____

_____

_____

_____

_____

_____

_____

_____

_____

_____

_____

_____

_____

_____

_____

_____

_____

Notes d'évolution

Date : _____

Tension artérielle : _____

Poids : _____

Les exercices

Il n'est pas nécessaire, pour réussir sa grossesse, de posséder la force musculaire et l'endurance d'une triathlète. Cependant, une bonne forme physique avant la conception vous aidera à vous sentir à votre meilleur tout au long de la grossesse.

Si vous êtes très active, informez-vous si vous pouvez continuer à vous adonner, sans danger, à vos sports et à faire de l'entraînement. La grossesse affecte tout le corps et peut vous rendre plus susceptible aux blessures du début à la fin. Vous devrez, par exemple, limiter les activités vigoureuses ainsi que celles qui élèvent la température centrale du corps.

Si vous êtes plutôt sédentaire, mais désirez maintenant vous mettre en forme, allez-y graduellement en commençant par la pratique régulière d'activités qui fortifieront votre cœur et vos poumons tout en tonifiant vos muscles, comme la marche rapide et la natation. Le chapitre deux traite plus particulièrement des exercices pendant la grossesse.

Le travail (emploi)

Quel genre de travail faites-vous? Lorsque, dans le cadre de leur travail, elles entrent en contact avec des produits chimiques, des solvants, des vapeurs nocives ou travaillent sous rayonnement, les femmes qui planifient une grossesse doivent prendre toutes les précautions recommandées. Si vous êtes déjà enceinte, il est possible que votre médecin vous recommande d'éviter certaines ou toutes les situations de risque au travail.

Un travail fatigant, des heures de travail prolongées, de même que le travail par quarts peuvent parfois entraîner une fausse couche ou l'accouchement d'un bébé né avant terme ou de petit poids. Vous trouverez, au chapitre trois, de plus amples renseignements sur ce qui constitue un travail fatigant pendant la grossesse.

L'alimentation

Une bonne alimentation avant la grossesse permettra à votre corps de combler tous les besoins nutritionnels nécessaires à la croissance du bébé. Le calcium et la vitamine D contribuent à la formation d'os et de dents solides. On recommande à la femme enceinte d'absorber 1 200 mg de calcium par jour. Selon le *Guide alimentaire canadien pour manger sainement (1992)*, la femme enceinte doit prendre 3 ou 4 portions de produits laitiers tous les jours de sa grossesse. Une portion équivaut à une tasse de lait, 3/4 tasse de yogourt, ou 2 onces de fromage naturel ou fondu.

La femme enceinte a besoin, pour elle et pour l'enfant qui se développe en elle, de quantités plus importantes de fer, de protéines, de zinc et de vitamines B telle l'acide folique. On peut les trouver dans les viandes rouges, le poulet, le poisson, les haricots secs, les œufs et les noix. Les protéines contribuent à la formation de muscles forts. Le fer est nécessaire à la formation de l'hémoglobine qui permet au sang de transporter l'oxygène au bébé. Les femmes qui manquent de fer souffrent d'anémie. Avant de commencer à prendre des suppléments, consultez votre médecin au sujet de votre état nutritionnel. Le *Guide alimentaire canadien pour manger sainement* est un bon guide à suivre tant pendant qu'après la grossesse. Il préconise un régime alimentaire composé chaque jour d'une variété d'aliments sains. Prenez tout de suite de bonnes habitudes alimentaires pour qu'il vous soit plus facile de continuer à bien manger pendant votre grossesse. Renseignez-vous au sujet des suppléments vitaminiques, y compris l'acide folique.

Dressez la liste des produits chimiques, des solvants, des vapeurs nocives et autres substances auxquels vous êtes exposée dans le cadre de votre travail.

Si possible, fournissez à votre médecin toute l'information disponible au sujet de la substance.

Nom de la substance et renseignements sur l'usage que vous en faites :

_____

_____

_____

_____

Pour de plus amples renseignements au sujet des produits toxiques qui peuvent nuire au bébé, communiquez avec l'équipe du programme *Motherisk* du *Hospital for Sick Children* de Toronto au (416) 813-6780.

Test sur la nutrition

Si un seul des énoncés suivants s'applique à votre situation, vous devez parler à votre médecin de vos besoins nutritionnels.

○ Je suis actuellement un régime pour perdre du poids.

○ Je « jeûne » à l'occasion.

○ Je participe à des exercices violents.

○ Je fais de l'embonpoint.

○ Mon poids est insuffisant.

○ Je n'aime pas le lait ni les autres produits laitiers.

○ Je suis végétarienne.

○ J'ai des antécédents de carence en fer (anémie).

○ Je suis diabétique.

○ J'ai une maladie grave qui entraîne des restrictions alimentaires.

○ Je n'ai pas assez d'argent pour acheter la nourriture dont j'ai besoin.

Le Guide alimentaire canadien pour manger sainement

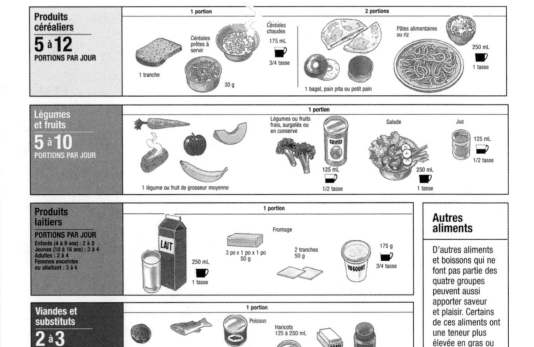

Des quantités différentes pour des personnes différentes

La quantité que vous devez choisir chaque jour dans les quatre groupes alimentaires et parmi les autres aliments varie selon l'âge, la taille, le sexe, le niveau d'activité; elle augmente durant la grossesse et l'allaitement. Le Guide alimentaire propose un nombre plus ou moins grand de portions pour chaque groupe d'aliments. Ainsi, les enfants peuvent choisir les quantités les plus petites et les adolescents, les plus grandes. La plupart des gens peuvent choisir entre les deux.

© Ministre des Travaux publics et Services gouvernementaux Canada, 1997.   Cat. H39-252/1992F
   ISBN 0-662-97564-2

Le calcium en bref

Les produits laitiers occupent le premier rang des sources de calcium non seulement parce qu'ils sont riches en calcium, mais aussi parce que celui-ci est bien absorbé par l'organisme. Les sardines et le saumon avec leurs arêtes, de même que le chou chinois (bok choy), constituent d'autres bonnes sources naturelles de calcium facile à absorber. Cependant, la plupart des autres aliments (tels que les graines de sésame, les noix, les haricots secs et le brocoli, entre autres) fournissent beaucoup moins de calcium ou un calcium moins bien assimilé par l'organisme.

Au naturel

En consommant les 3 à 4 portions quotidiennes de produits laitiers recommandées par le *Guide alimentaire canadien pour manger sainement*, la femme enceinte peut facilement combler ses besoins en calcium. En effet, chaque portion fournit environ 300 mg de calcium.

Mais il faut plus que du calcium pour maintenir des os sains. D'autres nutriments présents dans les aliments contenant naturellement du calcium sont souvent essentiels pour les os. Par exemple, les produits laitiers contiennent du phosphore, du magnésium, de la vitamine D (dans le lait seulement), de la vitamine A et des protéines dont les os ont aussi besoin. Quant au saumon en conserve avec arêtes, il fournit, entre autres, de la vitamine D, du phosphore et des protéines. Pour bâtir et maintenir des os solides, mieux vaut donc miser d'abord sur des aliments qui sont des sources naturelles de calcium plutôt que sur des suppléments.

Sources de calcium

Aliments	Portion		Calcium (mg)
Produits laitiers			
Fromage ferme, tel que Brick, Cheddar, Édam	50 g	(2 onces)	350
Lait[1] (entier, 2 %, 1 %, écrémé)	250 ml	(1 tasse)	315
Lait au chocolat	250 ml	(1 tasse)	301
Fromage Mozzarella	50 g	(2 onces)	287
Yogourt	175 g	(3/4 tasse)	275
Fromage Parmesan	45 ml	(3 c. à table)	261
Fromage Féta	50 g	(2 onces)	255
Fromage Camembert	50 g	(2 onces)	195
Lait ou yogourt glacé	125 ml	(1/2 tasse)	143
Fromage Ricotta	60 ml	(1/4 tasse)	135
Crème glacée	125 ml	(1/2 tasse)	90
Fromage Cottage	125 ml	(1/2 tasse)	76
Aliments préparés avec des produits laitiers			
Lait frappé	300 ml	(10 onces)	338
Pizza avec fromage	1/4 d'une 12 pouces		234
Pouding à la vanille, au chocolat	1 contenant individuel		126
Soupe à base de lait	250 ml	(1 tasse)	184
Autres aliments			
Sardines avec arêtes, en conserve	6 moyennes		275
Saumon avec arêtes, en conserve	1/2 boîte de 213 g		234
Tofu[2] (avec sulfate de calcium)	100 g	(1/3 tasse)	150
Amandes*	60 ml	(1/4 tasse)	100
Fèves de soya, cuites	125 ml	(1/2 tasse)	93
Chou chinois (bok choy), cuit	125 ml	(1/2 tasse)	84
Fèves au four*	125 ml	(1/2 tasse)	82
Figues	3 moyennes		81
Noix du Brésil	60 ml	(1/4 tasse)	65
Orange	1 moyenne		56
Sources moins importantes de calcium			
Chou frisé (kale), cuit	125 ml	(1/2 tasse)	49
Pois chiches, cuits	125 ml	(1/2 tasse)	42
Brocoli, cuit	125 ml	(1/2 tasse)	38
Haricots rouges, lentilles, cuits*	125 ml	(1/2 tasse)	24
Graines de sésame, grillées*	15 ml	(1 c. à table)	11
Boisson de soya[3]	250 ml	(1 tasse)	10

1. Ajouter environ 100 mg de calcium pour le lait enrichi de calcium.
2. Le contenu en calcium indiqué pour le tofu constitue une approximation établie d'après les produits offerts sur le marché.
3. Les boissons de soya avec calcium ajouté contiennent 312 mg de calcium par 250 ml (1 tasse).
* Le calcium contenu dans ces aliments est reconnu comme étant moins bien absorbé par l'organisme.

Source : Santé Canada, Fichier canadien sur les éléments nutritifs, 1997

Des questions à propos du calcium ? Communiquez avec une diététiste du Bureau laitier du Canada au 1 800 361-4632.

Dodo sur le dos !

À chaque semaine, trois bébés sont victimes de mort subite au Canada.
Selon les recherches les plus récentes, les précautions suivantes permettent de réduire le risque de mort subite du nourrisson :

1. couchez votre bébé sur le dos ;

2. évitez de l'exposer à la fumée du tabac ;

3. évitez de trop emmitoufler votre bébé ;

4. l'allaitement peut aider à protéger votre bébé contre la mort subite du nourrisson.

Pour de plus amples renseignements au sujet de la mort subite du nourrisson, composez le 1-800-363-7437.

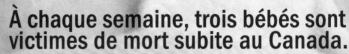

Santé Canada   Health Canada

La fondation canadienne pour l'étude de la mortalité infantile

Institut canadien de la santé infantile

Société canadienne de pédiatrie

Pampers

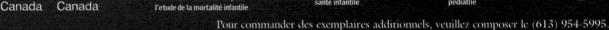

Pour commander des exemplaires additionnels, veuillez composer le (613) 954-5995.

Pour plus d'information, visitez notre site web *www.dodo-sur-le-dos.com*

L'acide folique et la prévention d'anomalies congénitales (présentes à la naissance)

On a démontré que l'acide folique est une vitamine qui contribue à la prévention de malformations congénitales du tube neural, y compris les anomalies au niveau du développement anormal de la mœlle épinière et du cerveau du bébé, par exemple de spina bifida. Ces anomalies se produisent entre la 3e et la 4e semaines de grossesse, souvent même avant que la femme se rende compte qu'elle est enceinte. Un supplément de 0,4 mg d'acide folique, en plus de la quantité retrouvée dans une saine alimentation est recommandé avant la conception et au cours d'au moins 4 semaines qui suivent. Ce supplément d'acide folique réduit de moitié le risque d'anomalie du tube neural. On peut inciter les femmes chez lesquelles le risque est supérieur, à prendre de plus fortes doses d'acide folique.

Test sur l'acide folique

Vous planifiez une grossesse prochaine? Si un seul des énoncés suivants s'applique à votre situation, vous devez parler d'acide folique avec votre médecin.

○ Je souffre d'épilepsie.

○ Je souffre d'anémie.

○ Je souffre de diabète insulino-dépendant.

○ J'ai déjà eu un enfant avec une anomalie du tube neural à la naissance.

○ Je prends plus de 0,4 mg d'acide folique par jour sans avoir consulté mon médecin.

○ Un de mes proches parents souffrait d'une anomalie du tube neural à la naissance.

Sources alimentaires d'acide folique

(basées sur les portions habituelles)

Excellente source d'acide folique (55µg ou plus)

féveroles, haricots communs, pinto, romains et blancs, fèves de soya, cuits; pois chiches, lentilles

épinards et asperges cuites

laitue romaine

jus d'orange, jus d'ananas en conserve

graines de tournesol

Bonne source d'acide folique (33 µg ou plus)

haricots de Lima cuits

maïs, germes de haricots, brocoli cuit, petits pois, choux de Bruxelles, betteraves

oranges

melon de miel

framboises, mûres sauvages

avocat

arachides grillées

germe de blé

Source d'acide folique (11 µg ou plus)

carottes cuites, feuilles de betterave, patate douce, pois mange-tout, courges d'hiver ou d'été, rutabaga, chou, haricots verts cuits

noix d'acajou, arachides grillées, noix de Grenoble

œufs

fraises, banane, pamplemousse, cantaloup

pain de blé entier ou pain blanc

rognons de porc

céréales à déjeuner

lait, tous les types

Remarque : L'enrichissement en acide folique de la farine blanche et des pâtes alimentaires étiquetés comme étant enrichis, est devenu obligatoire au mois de novembre 1998. Cet enrichissement contribuera à rehausser d'environ 100 µg (0,1 mg) d'acide folique, l'apport alimentaire quotidien des femmes.

Sources : Santé Canada, Fichier canadien sur les éléments nutritifs, 1997
Visitez le site web au www.hc-sc.gc.ca/nutrition

Non merci, mon bébé est trop jeune pour prendre de l'alcool

Le syndrome d'alcoolisme fœtal (SAF) regroupe certaines anomalies chez les bébés dont les mères ont des antécédents de consommation d'alcool au cours de leur grossesse. Les bébés sont de poids et de taille inférieurs. Les meilleurs soins médicaux ne leur permettent pas de rattraper les autres bébés. Ils peuvent avoir de petites têtes et souffrir d'anomalies du cœur et de mauvais contrôle musculaire. Ils présentent parfois des anomalies de la figure, des membres et des articulations. En général, ils sont atteints, à différents degrés, de retard mental et de troubles du comportement, entre autres hyperactivité, nervosité extrême et faible capacité d'attention.

Les nouveau-nés qui souffrent du syndrome d'alcoolisme fœtal présentent presque toutes ces anomalies. Un bébé qui n'est affecté que de quelques-uns de ces problèmes et ce, à un moindre degré, souffre de ce qu'on appelle les effets de l'alcool sur le fœtus (EAF). Lorsque ces bébés grandissent, ils ont tendance à avoir des difficultés d'apprentissage et de concentration ainsi que des troubles de comportement.

Pour de plus amples renseignements au sujet du SAF et des EAF, communiquez avec le Centre canadien de lutte contre l'alcoolisme et les toxicomanies au 1-800-559-4514 ou visitez le site web www.ccsa.ca

L'alcool

Personne ne connaît exactement la quantité d'alcool que la femme enceinte peut boire sans nuire à son bébé. On sait toutefois que certains bébés sont atteints de graves malformations lorsque leur mère consomme de l'alcool en forte quantité ou de façon régulière pendant la grossesse. Les malformations liées à la consommation d'alcool peuvent englober autant les difficultés d'apprentissage, les troubles de la personnalité et les retards de croissance que les insuffisances de développement, les anomalies faciales et les anomalies du système nerveux central.

« Moins c'est bien, pas du tout c'est mieux »

Il va sans dire que la femme enceinte qui a consommé de l'alcool à l'occasion et en faible quantité n'a pas à s'en faire. Cependant, la notion de ce qui constitue une « faible quantité » prise « à l'occasion » peut varier d'une personne à une autre. Le danger que représente la consommation d'alcool au cours de la grossesse est fonction de la santé de la mère, de la quantité consommée et du stade de grossesse. La plupart des études recommandent que les femmes s'abstiennent de boire de l'alcool au cours de la grossesse.

Les drogues illicites

Il faut bien comprendre que l'usage de drogues illicites à tout stade de la grossesse peut compromettre le développement du bébé. L'usage régulier de ces drogues peut entraîner la naissance d'un bébé « toxicomane ». De plus, ce bébé sera en général de petite taille, facilement irritable et agité et possiblement atteint d'une lésion cérébrale qui aura un effet sur ses capacités d'apprentissage.

Si vous consommez des drogues illicites, il faut cesser bien avant de devenir enceinte. Et si la grossesse débute au moment où vous en consommez, il faut en aviser votre médecin, car vous pourriez avoir besoin d'un soutien supplémentaire ainsi que de soins particuliers au cours de la grossesse.

Les médicaments

Presque tous les médicaments, obtenus avec ou sans ordonnance, peuvent atteindre le bébé en passant par le placenta. Néanmoins, on ne connaît que peu de médicaments susceptibles d'être nuisibles au bébé en voie de développement bien que, dans la plupart des cas, il n'y ait pas d'étude qui en élimine la possibilité. Les médicaments qui peuvent lui faire du tort agiront habituellement au cours des premières semaines de grossesse, au moment de la formation des principaux systèmes. Le mieux serait d'éviter l'utilisation de tout médicament obtenu sans ordonnance à partir du moment où vous tentez de devenir enceinte et pendant la grossesse. Demandez conseil à votre médecin avant d'utiliser tout médicament, herbe ou plante médicinale et remède maison. Il est au courant des dernières études menées ou peut se renseigner sur les risques associés à ces produits.

Si votre état de santé exige que vous preniez un médicament obtenu par ordonnance, au moment où vous planifiez une grossesse, il est important d'en parler à votre médecin, et ce, de préférence avant de devenir enceinte. Il sera peut-être nécessaire de substituer, à celui que vous prenez, un médicament qui ne peut atteindre le bébé en traversant le placenta. Si la substitution n'est pas possible, on réduira la dose prescrite ou, si on peut se permettre de le faire en toute sécurité, on vous incitera à cesser de prendre le médicament pendant la grossesse.

Le tabagisme

On a clairement démontré l'existence d'un lien entre le tabagisme de la mère pendant la grossesse et la naissance de bébés nés avant terme ou de poids insuffisant. De plus, une abondante documentation signale que la fumée secondaire est dangereuse pour les nourrissons et les enfants en bas âge. Quelle excellente façon de vous préparer à devenir parents que de cesser de fumer dès maintenant.

Si vous êtes déjà enceinte, des études révèlent que le fait de cesser de fumer avant la 16e semaine de grossesse réduit le risque que votre bébé naisse prématurément ou soit de poids insuffisant. Selon certains chercheurs, il peut être bénéfique pour votre bébé que vous cessiez de fumer même aussi tardivement qu'à la 32e semaine de grossesse. Certaines études semblent aussi faire valoir qu'une importante diminution de consommation de tabac durant la grossesse contribue à l'augmentation du poids du bébé à la naissance.

Vous pensez peut-être que votre bébé ne court pas un bien grand risque. Quelques femmes penseront même qu'il est plus facile d'accoucher d'un petit bébé. On sait cependant que les bébés qui naissent prématurément et sont de poids insuffisant s'adaptent plus difficilement à la vie hors de l'utérus. Il est également probable qu'ils éprouveront plus de difficulté à dormir et à s'alimenter et seront plus sujets à la maladie. Le mieux, si vous prévoyez une grossesse, serait de cesser de fumer avant la conception. Certaines personnes fument pour réduire leur niveau de stress; la cigarette représente une récompense, un temps de repos, une façon de se détendre. Il sera peut-être difficile pour vous de trouver d'autres solutions de rechange qui soient plus saines, mais vous pouvez obtenir du soutien. (Vous trouverez en page 28 des façons de réduire le stress.)

Parlez franchement de votre consommation de tabac. Informez-vous des programmes, offerts dans votre municipalité, qui peuvent vous aider à réussir à cesser de fumer. Si aucune des méthodes ne vous a réussi, envisagez l'utilisation d'un timbre à la nicotine.

Les antécédents médicaux

Certains des problèmes de santé qui touchent une femme ou l'ont touchée dans le passé peuvent avoir des répercussions sur l'issue de sa grossesse. Les femmes atteintes de graves troubles médicaux comme, par exemple, une maladie cardiaque, le diabète, l'hypertension artérielle ou l'épilepsie, devront probablement être suivies de près, par un spécialiste, pendant la durée de leur grossesse. Les femmes qui font de l'embonpoint devraient subir un contrôle de diabète.

Si vous, votre conjoint ou un proche parent souffrez d'une maladie héréditaire comme la dystrophie musculaire, l'hémophilie, la fibrose kystique, la maladie de Tay-Sachs ou la bêta-thalassémie, parlez-en à votre médecin qui vous adressera peut-être à un généticien (un spécialiste des maladies héréditaires).

La rubéole

Vers la fin des années 1960, on a mis au point un vaccin pour offrir une protection contre la rubéole, et que depuis, on administre systématiquement à tous les enfants d'âge préscolaire. On voulait, par ce vaccin, éviter que les femmes enceintes ne soient contaminées par cette maladie qui peut causer des anomalies graves chez le bébé. De nos jours, presque toutes les femmes en âge de procréer sont déjà immunisées, soit qu'elles aient reçu le vaccin ou que, après avoir été exposées à la maladie, elles aient développé des anticorps qui les protègent.

On analysera votre sang pour s'assurer que vous possédez une immunité à la rubéole. Si vous ne possédez pas d'anticorps de la rubéole, vous aurez probablement besoin du vaccin. Il est souhaitable qu'il soit administré au moins trois mois avant la grossesse.

Inscrivez le numéro de téléphone d'organismes à contacter pour obtenir de l'aide en vue de cesser de fumer ou de boire :

_____

_____

_____

_____

_____

_____

Mes antécédents médicaux

Indiquez vos antécédents médicaux

○ Difficultés à l'anesthésie

○ Interventions chirurgicales

Dressez la liste des interventions chirurgicales subies :

_____

_____

_____

○ Transfusion sanguine en _____

○ Troubles cardiaques

○ Hypertension artérielle

○ Diabète

○ Caillots de sang aux jambes ou aux poumons

○ Trouble épileptique

○ Problèmes aux reins ou à la vessie

○ Antécédents d'infection grave

Maladies contagieuses contractées :

_____

_____

_____

○ Antécédents de troubles de santé mentale

○ Difficultés à concevoir

○ Allergies

Antécédents médicaux familiaux

Si certains membres de la famille, y compris vos parents, vos sœurs et frères, vos grands-parents et vos enfants, souffrent des maladies suivantes, inscrivez leur nom et donnez quelques précisions.

Diabète

_____

_____

Maladies héréditaires

_____

_____

Hypertension artérielle

_____

_____

Anomalies

_____

_____

Jumeaux, triplets et autres

_____

_____

Autres troubles que vous jugez graves

_____

_____

Pratiques et les antécédents sexuels

Il est possible que vous soyez mal à l'aise lorsqu'on vous interroge sur vos pratiques sexuelles; cependant, comme pour les drogues, on vous pose ces questions dans le but de réduire les risques pour vous et votre bébé.

Si vous avez déjà eu une relation sexuelle non protégée, surtout si vous avez eu plus d'un partenaire sexuel, il se peut que vous ayez été exposée à une maladie transmissible sexuellement (MTS) comme l'herpès génital, les verrues génitales, les infections à chlamydia, la gonorrhée, la syphilis ou le VIH (qui cause le sida).

Certaines MTS peuvent être traitées, d'autres non. Quelques-unes doivent être traitées afin de réduire le risque d'infection du bébé à la naissance. Compte tenu de votre mode de vie et de vos antécédents sexuels, certaines analyses aideront à planifier vos soins prénataux. Le test de dépistage du VIH est maintenant offert à toutes les femmes qui sont enceintes ou qui planifient de le devenir, car il existe maintenant un traitement efficace qui réduit le risque pour les mères séropositives de transmettre le VIH à leur bébé.

Les femmes aux prises avec une maladie récidive comme l'herpès génital ou les verrues génitales peuvent quand même jouir d'une grossesse normale. Parfois, elles doivent recevoir des soins particuliers pendant la période qui entoure la naissance du bébé.

Ce n'est pas votre première grossesse

On vous demandera si vous avez déjà été enceinte et si vous avez eu des complications soit durant la grossesse, le travail, l'accouchement ou après la naissance du bébé. Connaissant mieux vos antécédents de grossesses, votre médecin tentera d'empêcher que de telles complications ne se reproduisent. Vous pouvez encore jouir d'une grossesse saine et normale. Notez bien qu'il est important de brosser un tableau complet de vos antécédents obstétricaux au cas où vous auriez besoin de soins particuliers.

Ligne info service sans frais sur le VIH pendant la grossesse

Au numéro sans frais de la ligne santé du programme *Motherisk*, le 1-888-246-5840, on offre, de façon confidentielle, aux Canadiennes, à leur famille et aux professionnels de la santé, des conseils au sujet des risques liés au VIH et du traitement de ce dernier pendant la grossesse. Ce programme appuie aussi les spécialistes du VIH et les communautés dans tout le Canada qui conjuguent leurs efforts pour réduire les risques associés au traitement du VIH.

Grossesses antécédentes			
	La première	La deuxième	La troisième
Date			
Hôpital			
Nbre d'heures de travail			
Genre d'accouchement			
Complications			
Garçon/fille			
Poids à la naissance			

Qu'est-ce qui peut arriver quand on prend « la pilule »?

Lorsque vous utilisez un contraceptif à base d'hormones comme la « pilule », un implant ou une injection, il vaut mieux attendre d'avoir eu au moins un cycle menstruel normal avant d'essayer de devenir enceinte. Cette période de repos permettra à votre corps de revenir à la normale. Utilisez alors un préservatif (condom) pour éviter une grossesse pendant cette période. S'il vous arrivait de devenir enceinte au moment où vous prenez « la pilule », cessez alors de la prendre et ne vous en faites pas trop. Une telle situation ne semble avoir aucun effet nocif sur le bébé.

Les autres moyens de contraception?

On peut cesser l'utilisation de mousse spermicide, de gelée, du condom ou du diaphragme à n'importe quel moment.

Si vous portez un stérilet, faites-le retirer pour devenir enceinte. Si, par hasard, vous devenez enceinte avec le stérilet encore en place, il faut le faire retirer aussitôt que possible. Il n'est pas très sage de laisser un stérilet en place pendant la grossesse, car vous vous exposez à des risques d'avortement, d'infection ou d'accouchement prématuré. Une fois le stérilet retiré, il vaut mieux attendre d'avoir eu une menstruation avant d'essayer de devenir enceinte. Si vous pensez être enceinte au moment où votre stérilet est toujours en place, prenez rendez-vous avec votre médecin pour confirmer votre état. Si possible, faites retirer le stérilet. Parfois, pour une raison médicale, la chose est impossible. Dans ce cas, on vous surveillera de près pour déceler tout problème qui pourrait survenir.

Chapitre 2

C'est un départ : le premier trimestre

Qu'est-ce qu'un trimestre?

Un trimestre est une période de trois mois. Ce terme désigne également chacune des trois parties d'une grossesse qui, lorsqu'elle est complète, dure environ neuf mois. Le premier trimestre commence dès la conception et se termine à peu près 13 semaines plus tard. Le deuxième trimestre prend fin de 25 à 26 semaines après la conception et le troisième s'étend environ de la 26e à la 40e semaine. On peut calculer la date approximative de la naissance du bébé (la date prévue d'accouchement) 9 mois et 7 jours à partir du premier jour des dernières règles. Dans une proportion de 85 p. cent, les bébés naissent dans les 7 jours qui précèdent ou les 7 jours qui suivent la date prévue d'accouchement.

Le premier trimestre est, pour le fœtus, une période de croissance et de développement intensifs au cours de laquelle votre corps s'adapte à la grossesse. À partir de ce moment, les décisions que vous prenez au sujet de votre santé, de votre alimentation et de votre mode de vie auront des conséquences tant pour vous que pour le bébé.

La confirmation de votre grossesse peut être un des moments les plus emballants de votre vie, surtout si vous l'espériez depuis un bon moment. Il se peut cependant que la joie se mêle à l'inquiétude pendant les premières semaines de la grossesse. Que se passe-t-il dans mon corps? Et si le bébé n'était pas normal? Est-ce que je vais me sentir comme *ça* pendant neuf mois?

Ces inquiétudes sont tout à fait normales, mais cessez de vous en faire. Vous êtes partie du bon pied puisque la lecture du présent guide vous en apprend autant que possible sur la grossesse.

Votre corps se transforme

Vers la fin du premier trimestre, votre corps aura subi de grands changements. Votre grossesse ne se voit pas encore, mais vous vous sentez bien différente. Les taux plus élevés d'hormones sont la cause de presque toutes les transformations qui s'opèrent dans votre corps. Dès la fécondation, votre corps s'est mis à l'œuvre pour préparer un endroit sécuritaire où le bébé pourra se développer. Le processus est compliqué et demande beaucoup d'énergie; vous vous sentirez donc très fatiguée pendant les premiers mois de votre grossesse.

Votre taille se modifie et vous vous sentez à l'étroit dans vos vêtements. L'utérus augmente lentement de volume, de la taille d'un kiwi à celle d'un pamplemousse. Il se forme, à l'entrée de l'utérus, un bouchon de mucus qui empêche les bactéries porteuses d'infection de pénétrer dans l'utérus durant la grossesse.

Le tissu glandulaire qui sécrète le lait se développe et vos seins deviennent plus gonflés, plus lourds et plus sensibles. La zone brune qui entoure le mamelon devient plus foncée et soulevée de petits tubercules qui sécrètent une substance huileuse qui empêchera le mamelon de se dessécher. La circulation du sang augmente rapidement au niveau du vagin et de la vulve (grandes lèvres du vagin) et leur donne une couleur plus foncée et violacée.

Votre cœur doit pomper plus fort ce surplus de sang que votre corps a produit pour permettre au placenta de se développer et pour apporter plus d'oxygène et de nutriments à votre bébé. Vous devez peut-être porter plus d'attention à votre respiration ou êtes plus facilement essoufflée en raison des changements hormonaux. Habituellement, les menstruations cessent. Si vous avez des saignements au cours de la grossesse, parlez-en à votre médecin.

Bébé se développe

À la fin du premier trimestre, c'est-à-dire lorsque votre bébé a 13 semaines, il mesure à peu près 9 cm (3,5 po) et pèse environ 48 g (1,7 oz). À ce stade, le bébé a encore tout l'espace qu'il lui faut pour bouger sans contrainte et il bouge beaucoup bien que vous ne le sentiez pas encore. Son corps est complètement formé, mais il lui faudra encore du temps pour prendre du poids et permettre à ses organes d'arriver à maturité.

À 13 semaines, les doigts et les orteils sont formés. Les os ne sont encore que du cartilage qui commence à durcir. La tête semble disproportionnée par rapport au reste du corps. Dans la mâchoire, on peut deviner la présence de 32 bourgeons qui deviendront des dents. La fréquence cardiaque est de 140 battements par minute. Les poumons sont formés et le bébé «respire» le liquide amniotique. Depuis la 12e semaine, il s'exerce à téter; il pince ses lèvres, tourne la tête et boit le liquide amniotique qui est ensuite éliminé sous forme d'urine.

Combien de fois dois-je voir mon médecin?

Au début de la grossesse, des visites médicales à toutes les 4 à 6 semaines suffiront. Après 30 semaines de grossesse, vous devez revenir à intervalles de 2 à 3 semaines. Après la 36e semaine, il faut voir votre médecin chaque semaine ou au moins aux deux semaines et ce, jusqu'au début du travail.

La première consultation prénatale

Le premier examen est habituellement plus approfondi et plus long que ceux qui suivront. Il peut comprendre un diagnostic biologique (test de grossesse) pour confirmer la grossesse, un examen du bassin et des organes de reproduction de même qu'un examen physique complet. Le médecin sondera votre cœur et vérifiera votre tension artérielle. On notera votre taille et votre poids.

Vous aurez aussi une bonne conversation avec le médecin. Il discutera avec vous de vos antécédents médicaux et obstétricaux. Si vous avez déjà rencontré le médecin au moment où vous planifiez la grossesse, vous voudrez sans doute passer en revue les questions que vous avez abordées à ce moment-là.

Pourquoi voir un médecin? Je me sens très bien.

On appelle soins prénataux les soins médicaux que vous recevez avant la naissance du bébé. La plupart des femmes ont des grossesses sans ennui et accouchent de bébés en santé. Cependant, selon certaines études, les femmes qui reçoivent régulièrement des soins prénataux ont de meilleurs résultats à l'accouchement. À moins que vous ne désiriez discuter plus tôt d'une question qui vous préoccupe, il est souhaitable que la première consultation prénatale ait lieu moins de 12 semaines après vos dernières règles.

Pour que votre grossesse se déroule bien, assurez-vous de recevoir de bons soins prénataux. De plus, les consultations prénatales régulières vous permettent de mieux connaître votre médecin et de vous sentir plus à l'aise lorsque vous lui faites part de vos inquiétudes ou lui posez des questions.

Un suivi obstétrical régulier permettra d'autre part à votre médecin de déceler plus tôt les problèmes et de prendre les mesures nécessaires pour que tout se passe bien pour vous et votre bébé.

L'embryon se développe rapidement au cours des huit premières semaines de la grossesse.

La première consultation prénatale

_____
_____
_____
_____
_____
_____
_____
_____
_____
_____
_____
_____
_____
_____
_____
_____
_____
_____
_____
_____

Notes d'évolution

Date :

Semaines de grossesse :

Tension artérielle :

Poids :

Fréquence cardiaque fœtale :

C'est bon d'en parler

Il importe que vous et l'équipe qui assure vos soins pendant la grossesse soyez sur la même longueur d'onde.

- Parlez-leur du père du bébé et de la place qu'il occupe dans votre grossesse.

- Dites-leur si vous vous sentez aimée et protégée.

- Expliquez-leur comment parents et amis réagissent à votre grossesse.

- Assurez-vous que vous pourrez suivre les cours prénataux.

- Abordez le sujet de l'allaitement.

Votre médecin sait que vous devez être bien renseignée au sujet de votre grossesse et du développement de votre bébé. Malheureusement, les consultations prénatales chez le médecin, y compris la première consultation, ne sont jamais assez longues pour vous permettre d'aborder tous les sujets. C'est là que ce guide peut vous être utile et c'est pourquoi aussi on vous invite à vous renseigner en lisant de bons ouvrages sur le sujet et en suivant des cours prénataux.

Si vous venez d'obtenir ce guide, lisez d'abord attentivement le premier chapitre; on y aborde plusieurs des questions sur lesquelles on reviendra tout au long du guide, entre autres, l'alimentation, l'exercice, les risques du tabagisme et de l'abus d'alcool ainsi que d'autres dangers.

À quoi servent toutes ces analyses?

Lors de votre première consultation prénatale, on recommande systématiquement une série d'analyses de laboratoire. Ces analyses permettent de prévoir les risques auxquels vous ou votre bébé êtes exposés. On recommandera probablement les analyses suivantes :

Hémoglobine - Cette analyse vérifie la capacité de votre sang à absorber suffisamment de fer et d'oxygène.

Groupe sanguin et dépistage des anticorps - Ces analyses sanguines déterminent votre groupe sanguin et votre facteur Rh tout en décelant les anticorps irréguliers (voir groupe sanguin et facteur Rh à la page suivante).

Titre d'anticorps rubéoleux - Cette analyse sanguine vérifie votre immunité à la rubéole.

Antigène de surface de l'hépatite B - Cette analyse sanguine révèle tout contact que vous pouvez avoir eu avec le virus de l'hépatite B (apprenez-en plus sur l'hépatite B en page 20).

VDRL - Cette analyse révèle s'il y a eu contact avec la syphilis, une maladie transmissible sexuellement.

Analyse d'urine - Elle sert à vérifier le taux de sucre et de protéines présents dans votre urine, et à déceler toute infection urinaire (les infections chroniques du méat urinaire sont liées à un risque accru de travail prématuré).

Test de Papanicolaou (cytologie ou test « Pap ») - Ce test est effectué pour dépister le cancer du col de l'utérus ou signaler un état qui pourrait y mener.

VIH - Cette analyse sanguine vérifie s'il y a contamination au VIH, le virus responsable du sida.

Inventaire des médicaments d'ordonnance ou en vente libre, herbes médicinales et vitamines que vous prenez.

Médicament/ herbe médicinale/vitamine	Dosage	Fréquence	Durée du traitement

N'oubliez pas d'apporter ce guide lorsque vous vous rendez chez le médecin.

Suis-je à risque de contracter l'hépatite B?

○ J'ai reçu une transfusion sanguine ou un produit sanguin pour traiter un trouble de coagulation.

○ J'ai eu plus d'un partenaire sexuel.

○ Je me suis injecté des drogues.

○ J'ai partagé les aiguilles d'autres personnes à cette occasion.

○ Je manipule du sang ou des produits sanguins dans l'exercice de mon travail.

○ Je suis née en Asie.

Si vous avez coché une des affirmations, vous êtes à risque de contracter l'hépatite B et devez vous faire vacciner.

Le groupe sanguin et le facteur Rh

Vous appartenez à un des groupes sanguins suivants : A, B, AB ou O. Votre appartenance au groupe sanguin est déterminée par le type d'« antigène » agglutiné aux cellules de votre sang. L'antigène est une protéine qui déclenche une réaction de votre système immunitaire (celui-là même qui vous protège des infections). Les cellules du sang de type A n'ont que des antigènes A. Les cellules du groupe sanguin B possèdent uniquement des antigènes B, tandis que les cellules du groupe AB possèdent des antigènes A et B. Les cellules du groupe O n'ont pas d'antigènes.

Qu'est-ce que la maladie du groupe Rh?

Un autre antigène s'agglutine parfois aux cellules sanguines, l'antigène du facteur Rh. Si votre sang contient cet antigène, il est de type Rh positif; s'il n'en contient pas, il est de type Rh négatif. Seulement 15 p. cent de la population a le type Rh négatif. Cependant, si vous êtes Rh négatif et votre conjoint Rh positif, il se peut que le bébé hérite le type Rh de son père plutôt que le vôtre et qu'il soit ainsi Rh positif. Voilà donc un bébé Rh positif qui se développe dans l'utérus d'une mère Rh négatif, deux groupes sanguins incompatibles. S'il arrivait qu'une petite quantité du sang de la mère se mélange avec peu du sang du bébé, par exemple à la naissance ou à l'occasion d'un saignement pendant la grossesse, le corps de la mère pourrait réagir comme s'il était allergique au bébé. Il se mettrait à fabriquer des anticorps pour combattre les antigènes de type positif du sang de son bébé.

La maladie du facteur Rh est plutôt rare

Une telle incompatibilité sanguine peut causer une maladie grave ou même la mort du bébé. Grâce aux progrès de la médecine moderne, on peut éviter l'incompatibilité qui, aujourd'hui, ne se manifeste que rarement. Si les analyses de votre sang démontrent qu'il faut empêcher votre corps de fabriquer des anticorps, on devra vous administrer de l'immunoglobuline anti-Rh (IgRh) entre la 28e et la 32e semaines de grossesse, ainsi qu'à n'importe quel moment et à nouveau après la naissance du bébé ou s'il y a saignement pendant la grossesse.

L'hépatite B

L'hépatite est une infection virale qui affecte le foie. La forme d'hépatite la plus grave qu'on puisse contracter pendant la grossesse est l'hépatite B, transmissible sexuellement ou au moment de l'accouchement. La maladie atteint une personne sur 250. On la retrouve plus fréquemment chez les personnes ayant récemment émigré d'Asie. Bon nombre des personnes atteintes n'ont aucun symptôme et ne se rendent pas compte qu'elles en sont atteintes. Ce sont des porteurs chroniques qui peuvent transmettre l'hépatite B aux autres. Chez un faible pourcentage de ces porteurs chroniques, la maladie évoluera et atteindra le foie. C'est une maladie très grave, voire mortelle.

Lorsqu'on n'administre aucun traitement, c'est dans une proportion de 50 p. cent que les bébés nés de mères séropositives, contaminées par l'hépatite B, sont aussi infectés - souvent pendant l'accouchement ou l'allaitement. S'ils ne sont pas traités, bon nombre de ces bébés deviendront à leur tour porteurs chroniques et quelques-uns d'entre eux seront atteints de problèmes de santé de longue durée. Pour remédier à la situation, on administre maintenant aux bébés nés de mères séropositives contaminées par l'hépatite B, de l'immunoglobuline anti-hépatite B ainsi qu'un vaccin contre l'hépatite B, tôt après leur naissance. On évite ainsi, dans une proportion de 95 p. cent, que ces bébés soient atteints et deviennent à leur tour porteurs de l'hépatite B.

Le VIH

Le virus de l'immunodéficience humaine (VIH) infecte et endommage les systèmes nerveux et immunitaire chez l'humain. Si la maladie évolue, on diagnostiquera possiblement un cas de sida (syndrome d'immunodéficience acquise). Un bon nombre de personnes sont infectées par le VIH sans le savoir, car elles n'ont jamais fait l'objet d'une analyse sanguine de dépistage. Les symptômes de l'infection mettent quelquefois plus de cinq ans à se manifester.

Chez la personne infectée, c'est dans les liquides organiques comme le sperme, le sang, les sécrétions vaginales et le lait maternel qu'on retrouve le virus. Plus souvent qu'autrement, c'est pendant l'acte sexuel que le virus est transmis d'une personne infectée à une qui ne l'est pas. Mais, comme le virus peut aussi s'inflitrer dans la circulation sanguine au moyen d'une aiguille contaminée, vous courez un risque de contamination si vous utilisez les aiguilles d'un usager de drogue séropositif. La mère infectée par le virus peut le transmettre à son bébé au cours de la grossesse, de l'accouchement ou de l'allaitement. Le virus est très rarement transmis par une transfusion sanguine. Au Canada, le risque est très faible depuis qu'on dépiste la maladie au moyen de contrôle minutieux des réserves de sang.

Vous réduisez considérablement le risque d'infection par le VIH si vous limitez le nombre de vos partenaires sexuels et qu'avant d'avoir une première relation sexuelle avec un nouveau partenaire, vous vous informez de ses antécédents sexuels. L'idéal serait, lorsqu'une nouvelle relation prend naissance, d'utiliser le condom pendant les six premiers mois. Au bout de cette période, et après deux résultats négatifs à des tests de dépistage chez les deux partenaires, vous pouvez probablement abandonner l'usage des préservatifs (condoms) aussi longtemps qu'aucun de vous n'a d'autre partenaire sexuel. Si vous vous injectez des drogues, ne partagez jamais les aiguilles.

Mon style de vie me met-il à risque de contracter une maladie transmissible sexuellement?

○ J'ai eu plusieurs partenaires sexuels.

○ J'ai eu, avec plusieurs partenaires sexuels, un certain nombre de relations non protégées.

○ Je consomme des drogues illicites.

○ Je m'injecte des drogues illicites.

○ J'ai un problème de consommation d'alcool.

○ Je pratique le coït anal.

Si une de ces affirmations s'appliquent à vous, vous êtes à risque de contracter une maladie transmissible sexuellement et devriez subir un test de dépistage de MTS (incluant le sida).

Exigez un test de dépistage

Le nombre de cas d'infection par le VIH augmente chez les femmes en âge de procréer. La femme enceinte peut transmettre le virus à son fœtus ou à son bébé pendant l'allaitement. Il existe aujourd'hui un traitement préventif. À moins d'être traités, bon nombre des bébés infectés par le VIH mourront en moins de trois ans. Toute femme qui désire devenir enceinte ou qui l'est déjà devrait sérieusement envisager de subir un test de dépistage du VIH. On devrait l'offrir à toutes les Canadiennes qui sont enceintes. Si vous êtes enceinte ou désirez le devenir, exigez-le, même si votre médecin ne l'a pas suggéré.

Si vous avez été exposée au VIH ou craignez l'avoir été, vous pouvez obtenir, de façon confidentielle, des conseils et de l'appui en composant le numéro sans frais de la ligne santé du programme *Motherisk*, soit le 1-888-246-5840.

Biopsie chorionique

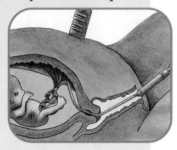

Amniocentèse

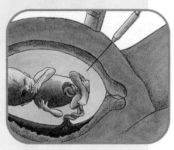

Échographie

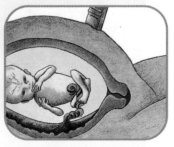

Le dépistage génétique

Lors de votre première consultation de surveillance prénatale, votre médecin abordera probablement la question du dépistage génétique à moins que vous en ayez déjà discuté à fond lors d'une consultation précédant la grossesse.

De nombreux facteurs indiquent si vous pourriez bénéficier du dépistage génétique d'anomalies fœtales tôt dans la grossesse. Votre âge ainsi que vos antécédents médicaux, obstétricaux et génétiques y sont pour beaucoup. Les maladies génétiques et les anomalies congénitales chez vos proches parents peuvent également avoir une incidence sur votre grossesse.

Si vos antécédents familiaux vous préoccupent ou si vous avez plus de 35 ans, consultez votre médecin à propos du dépistage.

Il y a deux façons de procéder. La première est d'effectuer, chez toutes les femmes enceintes, le dépistage de certaines maladies (examen du sang maternel); l'autre est un test proposé uniquement aux femmes ayant un risque accru de mettre au monde un enfant atteint d'anomalies congénitales.

Les recommandations de votre médecin sont basées sur vos facteurs de risque personnels, par votre attitude à l'égard du test et par la disponibilité d'un programme de dépistage. Mais c'est finalement sur vous que repose la décision de procéder au dépistage génétique.

Aucun des tests courants n'est une garantie absolue. Lors de votre première consultation prénatale, ou plus tard pendant votre grossesse, on peut vous proposer certains des tests suivants :

Biopsie chorionique (BC)

La biopsie chorionique est effectuée entre la 9e et la 11e semaines de la grossesse. On insère une aiguille dans l'utérus par le col ou par l'abdomen. Une petite quantité des cellules nommées villosités est aspirée du placenta pour être analysée.

Amniocentèse

Cette technique de dépistage est utilisée entre la 15e et la 16e semaines de grossesse. Une aiguille très fine est introduite dans l'utérus à travers l'abdomen. Le médecin se sert de l'échographie pour s'assurer d'un endroit sécuritaire pour introduire l'aiguille au moyen de laquelle il aspire un échantillon du liquide amniotique qui servira à l'analyse.

Échographie

On se sert de cette méthode pour visionner tout le bébé. Au moyen d'ondes sonores, une image du bébé apparaît sur un écran d'ordinateur. Aujourd'hui, on utilise l'échographie de façon systématique pour repérer la position du bébé, pour voir s'il se développe de façon satisfaisante, pour identifier l'endroit où le placenta est accroché à l'utérus, pour compter les battements du cœur du bébé, pour déterminer le nombre de bébés et pour déceler certaines anomalies. L'échographie sert aussi à confirmer la date prévue de l'accouchement.

Dépistage de maladies génétiques et d'anomalies congénitales (présentes à la naissance)

Si vous, votre enfant ou un de vos proches parents aviez une anomalie à la naissance, trouvez le nom de la maladie et donnez les précisions nécessaires. Il est parfois utile d'en parler à votre médecin avant la 9e semaine de la grossesse.

Anomalie cardiaque présente

_____

Spina bifida

_____

Anencéphalie

_____

Bec-de-lièvre

_____

Pied bot

_____

Chorée de Huntington

_____

Doigts ou orteils supplémentaires

_____

Drépanocytose

_____

Maladie de Tay-Sachs

_____

Fibrose kystique

_____

Thalassémie

_____

Hémophilie

_____

Dystrophie musculaire

_____

Syndrome de l'X fragile

_____

Autre

_____

_____

Inscrivez les dates, heures et lieux où se tiendront les rencontres prénatales :

_____

_____

_____

_____

_____

_____

_____

_____

_____

_____

_____

_____

_____

_____

_____

_____

Qui va m'accoucher?

De plus en plus, les prestateurs de soins de santé travaillent en équipe pour être en mesure d'assurer des soins 24 heures sur 24, pendant toute l'année, y compris pendant les congés et les vacances. Au Canada, ce sont les obstétriciens, les médecins de famille et, dans certaines provinces, les sages-femmes qui donnent les soins à la mère dans les cas de grossesse normale. Cependant, les cas plus compliqués sont habituellement adressés à l'obstétricien. Il est préférable de discuter de votre propre cas avec votre médecin.

Tous les renseignements recueillis pendant votre grossesse sont notés sur des formulaires prénataux spécifiques. De cette façon, une infirmière, un médecin, une sage-femme ou tout autre prestateur de soins de santé qui consulte votre dossier prénatal peut connaître le déroulement de votre grossesse.

Les cours prénataux

Des milliers de femmes et leur famille participent chaque année à des cours prénataux. C'est peut-être parce que les femmes affirment qu'elles se sentent plus rassurées lorsqu'elles comprennent les transformations amenées par une grossesse. Les cours prénataux sont peut-être aussi pour elles l'occasion de rencontrer d'autres femmes et leur famille avec qui elles peuvent échanger et partager leur expérience, leur sagesse et leurs émotions. Chose certaine, plus elles en connaissent au sujet de la grossesse, plus les femmes sont en mesure de prendre des décisions éclairées en matière de grossesse et d'accouchement.

Les cours prénataux étaient autrefois axés sur les stades du travail et sur la maîtrise de la douleur pendant l'accouchement. Aujourd'hui, les cours traitent encore de ces sujets, mais on y aborde aussi l'alimentation pendant la grossesse, l'art d'être parent, les signes avant-coureurs de problèmes, ainsi que l'exercice physique et les rapports sexuels pendant la grossesse. Les cours sont particulièrement utiles aux femmes qui attendent leur premier enfant et aux adolescentes enceintes. Les futurs pères sont sensibilisés à l'évolution de la relation avec leur partenaire et à leur nouveau rôle parental. Les enfants sont préparés à l'arrivée d'un nouveau petit frère ou d'une nouvelle petite sœur.

Si vous apprenez plus facilement dans une autre langue que le français, vous trouverez peut-être des cours prénataux offerts en d'autres langues et qui tiennent compte des différences ethniques et culturelles. On trouve souvent, aussi, des cours prénataux pour adolescentes.

Certaines municipalités offrent des cours postnataux pour faciliter l'adaptation des familles au nouveau bébé; on y traite d'allaitement, de remise en forme, de sexualité après un accouchement et de la croissance et du développement chez l'enfant.

Si vous êtes intéressée à suivre des cours prénataux ou post-nataux, renseignez-vous auprès de votre médecin qui vous indiquera où vous inscrire dans votre région.

Les malaises fréquents du début de la grossesse

Nausées et vomissements

On ne connaît pas encore la cause des nausées de la grossesse. Elles surviennent habituellement au cours des 3 ou 4 premiers mois de la grossesse, mais la situation peut parfois se prolonger. Vous pouvez ressentir les nausées à n'importe quel moment du jour ou de la nuit principalement lorsque vous avez l'estomac vide.

Chez la plupart des femmes, les nausées et les vomissements s'atténuent suffisamment, à un moment de la journée, pour leur permettre à nouveau d'avoir faim et de garder les aliments. Cependant, chaque année, au Canada, 4 000 femmes enceintes, soit une proportion de 1 p. cent des cas de femmes souffrant de nausées et de vomissements, éprouveront des malaises d'une telle gravité que la privation d'aliments, de liquides et de nutriments peut devenir nuisible à leur santé et au bien-être de leur bébé.

Sans traitement adéquat, les nausées et les vomissements graves peuvent entraîner la perte de poids et la perturbation de l'équilibre électrolytique. Les électrolytes jouent un rôle très important pour assurer que le corps fonctionne normalement. Le déséquilibre du niveau d'électrolytes comme le sodium, le calcium, le chlore, le magnésium et le phosphate peut compromettre la santé de la mère et celle de son bébé.

Voilà pourquoi si, pendant votre grossesse, vous souffrez de nausées et de vomissements, il faut en parler à votre médecin.

Un médicament qui soulage les nausées et les vomissements

Lorsque vous êtes enceinte, vous avez bien raison de vous tenir loin des médicaments en vente libre. Il existe cependant un médicament sécuritaire et efficace qu'on peut obtenir sous ordonnance seulement. Le succinate de doxylamine, combiné au chlorhydrate de pyridoxine (Diclectin®) est spécialement formulé pour traiter ce problème chez la femme enceinte. Le médicament comprend deux éléments : de la vitamine B6 et un antihistaminique appelé doxylamine. Ce médicament est, dans son genre, le plus étudié au monde. Il est jugé sécuritaire et efficace contre les nausées et les vomissements causés par la grossesse, à la fois par la Société des obstétriciens et gynécologues du Canada et le programme *Motherisk* du *Hospital for Sick Children* de Toronto.

Comment obtenir de l'aide en cas de nausées et de vomissements

Établi au *Hospital for Sick Children* de Toronto, le programme *Motherisk* regroupe des experts de renommée internationale qui se penchent sur les effets des médicaments et des maladies sur la grossesse. Ils effectuent aussi des études sur les nausées et vomissements de la grossesse. Si vous souffrez actuellement de nausées et de vomissements de la grossesse, n'hésitez pas à consulter les responsables du programme *Motherisk* qui se feront un plaisir de partager avec vous l'information qu'ils possèdent sur les moyens d'atténuer les nausées et les vomissements de la grossesse.

Vous pouvez consulter le site Web du programme Motherisk à l'adresse suivante : www.motherisk.org

Pour les joindre sans frais, composez le 1-800-436-8477.

Vous pouvez consulter le site Web du programme Motherisk à l'adresse suivante : www.motherisk.org

Trucs pour réduire les nausées et les vomissements

Voici quelques conseils pour vous aider à stabiliser votre estomac :

Évitez les odeurs qui peuvent entraîner la nausée - comme les odeurs de cuisson ou les parfums. Demandez à votre conjoint de préparer les repas, si possible.

Mangez tout aliment dont vous avez envie, qui vous semble bon et qui soulage votre nausée.

Évitez les endroits trop chauds; un endroit chaud peut augmenter la nausée.

Respirez des odeurs de gingembre ou de citron frais, buvez de la limonade, mangez des tranches de melon d'eau; ce sont autant de trucs qui semblent aider.

Les croustilles salées permettent quelquefois de stabiliser l'estomac suffisamment pour vous permettre de manger un repas.

Un traitement d'acupression a aidé bon nombre de femmes à maîtriser leurs nausées et leurs vomissements.

25

Seins sensibles et douloureux

La meilleure solution à ce problème est de vous acheter un bon soutien-gorge de maintien et de le porter en tout temps, même la nuit. Assurez-vous qu'il soit bien ajusté avec des bonnets adéquats et de larges bretelles non élastiques. Vous pouvez être soulagée par l'application de compresses chaudes sur les seins et d'une crème hydratante sur les mamelons si ils sont douloureux.

Fatigue

Il y a deux causes à la fatigue inhabituelle ressentie par bon nombre de femmes au cours des premiers mois de la grossesse. D'abord, votre métabolisme est plus rapide et exige donc une dépense d'énergie considérable. Ensuite, une des hormones de grossesse (la progestérone) a un effet sédatif. Un conseil : n'essayez pas de combattre le sommeil. Restez à l'écoute de votre corps lorsqu'il a besoin de repos ou encore d'une bonne sieste. Même les femmes qui « ne dorment jamais durant la journée » ressentent tout à coup, en plein jour, le besoin de se reposer. Dans votre milieu de travail, si possible, profitez des pauses pour trouver un endroit tranquille pour étendre vos jambes et fermer les yeux. Si vous ne le pouvez pas, allez vous étendre dès que vous rentrez du travail.

Maux de tête

Les maux de tête sont assez fréquents pendant la grossesse et ne doivent habituellement pas vous inquiéter. Cependant, si les maux de tête sont constants, très violents ou vous occasionnent des troubles de la vue ou des nausées ou encore si vous voyez des points noirs, il faut consulter votre médecin.

Lorsque vous avez un mal de tête, étendez-vous dans une pièce fraîche et sombre. Placez une compresse humide et fraîche sur votre front. Demandez à votre conjoint de vous masser le cou et le dos. Parfois, surtout lorsque vous avez des nausées et n'avez pas le goût de manger, le mal de tête est lié à un taux insuffisant de sucre dans le sang. Prenez alors des repas plus petits, mais plus féquents. Les cachets d'acétaminophène (par exemple, le Tylenol®), pris à l'occasion, ne causeront pas de tort au bébé.

Fréquent besoin d'uriner

Allez-vous plus souvent à la toilette dernièrement? Ce besoin d'uriner est une des caractéristiques du début de la grossesse et résulte de la pression exercée sur la vessie par l'augmentation du volume de l'utérus et par la quantité accrue d'urine sécrétée par vos reins. Il peut parfois vous sembler que votre vessie est très pleine, mais qu'une fois à la toilette, vous ne relâchiez qu'une faible quantité d'urine. La pression sur la vessie cause parfois des pertes d'urine lorsque vous bougez ou toussez. Les exercices de Kegel peuvent alors vous être utiles (voir page 34). Si vous ressentez de la douleur lorsque vous urinez, renseignez-vous; il pourrait s'agir d'une infection.

Méfiez-vous de la litière de Minou

La toxoplasmose est une maladie causée par un parasite de taille microscopique vivant sur un animal hôte et qui se transmet aux autres animaux par les selles. Plus de la moitié des humains y ont été exposés bien qu'ils en affichent rarement les symptômes. Il existe un faible risque d'anomalie congénitale chez le bébé dont la mère a été exposée au parasite pendant la grossesse.

Juste « au cas où », évitez, pendant votre grossesse, de manger du poulet ou de la viande qui ne seraient pas assez cuits et enfilez des gants de caoutchouc quand vous manipulez du poulet ou de la viande crus. Si vous avez un chat, essayez de confier à un autre la tâche de changer sa litière; quand ce n'est pas possible, portez des gants, évitez d'en respirer la poussière et lavez soigneusement vos mains après l'avoir fait.

Saignements

Un certain nombre de femmes ont quand même accouché de bébés en bonne santé après avoir eu des «saignotements» inoffensifs au cours des premiers mois de grossesse. Il faut cependant prendre très au sérieux tout saignement, car il pourrait annoncer une fausse couche. Consultez votre médecin.

Dans près de 15 p. cent des cas, les grossesses se terminent par une fausse couche. Il semble que ce soit le moyen privilégié du corps de mettre fin à une grossesse qui ne se déroule pas normalement. Une fausse couche ne diminue habituellement en rien la possibilité d'une grossesse ultérieure normale; il vaut cependant mieux attendre d'avoir eu au moins un cycle normal avant de tenter à nouveau de devenir enceinte.

Étourdissements

Les étourdissements sont assez fréquents pendant la grossesse. Ces incidents peuvent avoir plusieurs causes, entre autres, le niveau accru d'hormones, les modifications au niveau de la circulation et une baisse du taux de sucre dans le sang. Si vous vous sentez étourdie, mangez quelque chose de sucré. Le malaise peut être atténué quand vous mangez des repas ou collations légers, mais nourrissants. Lorsque la chose se produit, asseyez-vous et penchez la tête jusqu'à vos genoux. Détachez les vêtements trop ajustés et placez des compresses froides et humides sur le front et la nuque. Si le malaise persiste, téléphonez à votre médecin.

La prise de poids

Les scientifiques n'ont jamais déterminé le poids exact que la femme doit prendre pendant sa grossesse.

Chez la plupart des femmes, la prise de poids se situe entre 6,8 kg (15 lb) et 18,2 kg (40 lb). La prise de poids peut cependant être supérieure ou inférieure à ces chiffres et la grossesse et l'accouchement normaux.

Il est préférable d'avoir un régime alimentaire sain et bien équilibré plutôt que de compter le nombre de calories et de s'inquiéter si la prise de poids est trop importante ou trop faible. Il n'y a pas de relation entre le poids que vous prenez et le poids de naissance du bébé. Il est bien connu cependant que les femmes, même celles qui font de l'embonpoint, ne devraient pas suivre de régime pendant la grossesse. Les femmes dont le poids est inférieur à la normale, surtout les adolescentes, doivent manger bien, avec plaisir et fréquemment.

Pour obtenir de plus amples renseignements au sujet de la grossesse et de l'alimentation, revenez à la page 7. Vous pouvez aussi consulter le site Web du programme *Motherisk* à l'adresse suivante : **www.motherisk.org** .

Pour joindre une diététiste qui pourra répondre à vos questions sur la nutrition, composez les numéros suivants :

_____

_____

_____

_____

_____

_____

_____

Parlant de calories...

Toutes les femmes devraient adopter, pendant leur grossesse, un régime alimentaire sain et équilibré comportant un apport calorique d'environ 2 200 à 2 400 calories par jour. Par contre, si vous faites régulièrement de l'exercice, il se peut que ces valeurs ne soient pas suffisantes et que vous deviez les augmenter. Dans ce cas, on recommande en outre que vous augmentiez la proportion de glucides complexes (par exemple, le riz, les pâtes et les pommes de terre) jusqu'à ce qu'elle représente entre 30 et 40 p. cent de votre apport calorique total.

La violence faite aux femmes

Une Canadienne sur 12 est victime de violence physique. Dans une bouleversante proportion de 40 p. cent, la violence conjugale débute au moment de la première grossesse. Pendant la grossesse, les agressions physiques peuvent causer de graves blessures à la mère et entraîner la naissance d'un bébé prématuré ou de poids insuffisant. Un certain nombre de femmes enceintes ont perdu leur bébé après une agression à laquelle elles-mêmes ont survécu.

Si vous êtes enceinte et victime de violence, vous vous sentez sans doute très isolée. Vous avez besoin d'aide dès maintenant.

Personne ne mérite de mauvais traitements. La femme victime de violence conjugale se sent désemparée, honteuse et parfois responsable des mauvais traitements reçus. Si c'est votre cas, demandez de l'aide extérieure. Confiez-vous à votre médecin qui valorisera votre courage et vous aidera à cerner les ressources communautaires dont vous aurez besoin.

Le stress et les groupes de soutien

Chacun éprouve un certain niveau de stress; un niveau trop élevé nuit à la bonne santé, surtout au moment de la grossesse. Les études associent le niveau de stress chez la femme enceinte à la naissance d'un bébé prématuré ou de poids insuffisant.

Le soutien prodigué par l'entourage a un rapport direct avec le niveau de stress éprouvé pendant la grossesse. Les femmes qui se retrouvent sans soutien se sentent souvent isolées et déprimées.

Bien que, la plupart du temps, les couples la vivent dans la joie, la grossesse peut également mettre leur relation à dure épreuve. Lorsque, en raison d'événements importants survenus dans votre vie, votre niveau de stress augmente, essayez d'obtenir de l'aide extérieure.

Moyens de réduire le stress

Les femmes dont le niveau de stress est très élevé doivent adopter des moyens sains de le gérer.

1 **Partagez les joies, les défis et les inquiétudes associés à la grossesse** avec une personne qui vous est chère—la grossesse semblera moins stressante. Si, pour une raison ou pour une autre, vous n'obtenez pas de soutien de la part de votre conjoint, recherchez la compagnie d'autres personnes avec lesquelles vous vous entendez bien.

2 **Assistez aux cours prénataux et faites la connaissance d'autres femmes enceintes.** Les exercices de respiration et de concentration peuvent vous aider dès maintenant à vous détendre.

3 **Devenez plus active.** L'exercice, c'est bien connu, réduit le stress et donne de l'entrain.

4 **Dormez suffisamment.**

5 **Familiarisez-vous avec différentes méthodes qui favorisent le repos** et la détente par la lecture de certains livres et l'écoute de cassettes audio offerts dans presque toutes les bibliothèques publiques.

6 **Réduisez votre anxiété face à l'accouchement en vous renseignant et en vous y préparant.** L'élaboration d'un plan de naissance peut être faite avec l'aide de votre prestataire de soins de santé et de votre accompagnant du travail. On traite du plan de naissance aux pages 60-64.

Le diabète et la grossesse

Le corps humain produit, dans le pancréas, une substance appelée insuline. C'est grâce à l'insuline que le sucre (glucose) est absorbé par les cellules du corps pour produire de l'énergie. Sans insuline, le glucose dont les cellules ont besoin reste dans le sang. Le taux de glucose dans votre sang sera alors trop élevé et vos cellules ne pourront produire d'énergie.

L'énergie est essentielle pour assurer le bon fonctionnement de tous les organes de votre corps, y compris les poumons, le cerveau, le cœur et les vaisseaux sanguins.

Le pancréas de la personne qui souffre d'un diabète léger produit un peu d'insuline, mais pas en quantité suffisante pour que tout le glucose du sang soit absorbé dans les cellules. Ces personnes arrivent à équilibrer le taux de glucose dans leur sang en surveillant leur alimentation et en faisant de l'exercice pour éliminer le surplus de glucose. Les diabétiques dont le pancréas ne produit aucune insuline doivent en recevoir par injection afin que le glucose soit absorbé dans leurs cellules. L'insuline est essentielle à la survie.

Vous souffrez de diabète insulino-dépendant

Lorsque le pancréas ne produit pas d'insuline, une personne doit en obtenir d'une source extérieure, le plus souvent de l'insuline de synthèse. On dit de cette personne qu'elle souffre de diabète insulino-dépendant (DID) de type 1. Tous les jours, ces personnes doivent vérifier le taux de sucre dans leur sang afin de pouvoir administrer la quantité exacte d'insuline requise pour maintenir le taux normal de glucose dans leur sang. Pour certaines personnes, cette tâche n'est pas toujours facile. Le défi est encore plus grand pour la femme insulino-dépendante qui est enceinte. Pour qu'elle ait une saine grossesse, il est très important de maintenir le taux de sucre dans le sang à des niveaux normaux, surtout au cours du mois de la conception et pendant tout le premier trimestre. Les bébés nés de mères dont le taux de sucre dans le sang n'a pas été surveillé de près pendant leur grossesse risquent d'avoir un poids anormalement élevé (plus de 4,5 kg ou 10 lb), d'être difficiles à accoucher ou encore d'être affectés d'anomalies congénitales. C'est pourquoi les femmes souffrant de diabète insulino-dépendant doivent être suivies par un spécialiste (obstétricien) pendant leur grossesse.

La deuxième consultation prénatale
entre la 10e et la 16e semaines

Cette consultation a lieu environ quatre semaines après la première consultation de la grossesse. On ne procédera probablement pas à un examen complet, mais on notera votre poids et votre tension artérielle. Le médecin vérifiera la hauteur de l'utérus et peut-être la fréquence cardiaque du bébé.

Votre médecin examinera avec vous les résultats des analyses prescrites lors de la consultation précédente. Il vous parlera de tout suivi ou analyse supplémentaire requis.

Comme à l'occasion de toute autre consultation prénatale, c'est votre responsabilité d'identifier ce qui vous préoccupe et de poser des questions.

Le présent guide vous y aidera. Vous y trouverez les notes que vous avez prises lors de votre dernière consultation ainsi que toutes les questions que vous y avez inscrites depuis.

Lorsque c'est possible, il est bon que le futur père accompagne la maman au moins une fois chez le médecin. Il rencontrera alors la personne qui s'occupe de sa conjointe et pourra poser les questions qui le préoccupent au sujet de la grossesse. Vous pouvez vous présenter aux consultations prénatales avec un autre partenaire, par exemple une personne qui vous est chère, votre mère ou un autre membre de votre famille.

Notes d'évolution

Date :

Semaines de grossesse :

Tension artérielle :

Poids :

Fréquence cardiaque fœtale :

Les rapports sexuels

La grossesse entraîne des fluctuations au niveau du désir sexuel, surtout au cours du premier trimestre. D'une part, à cause des hormones, la sensibilité accrue des seins et de la vulve peut rendre les rapports sexuels encore plus désirables; d'autre part, la fatigue, les nausées et les vomissements peuvent vous en décourager. Ne vous en faites pas, quel que soit votre cas; plusieurs femmes vivent une situation semblable.

Cette période spéciale de leur vie rapproche bon nombre de couples qui jouissent de leurs rapports sexuels jusqu'à quelque temps avant la naissance du bébé. Chez d'autres couples, la tension, amenée par tous les changements, s'installe dans la relation et les rapports sexuels ne sont plus aussi satisfaisants qu'avant la grossesse. Le conjoint peut craindre que les rapports fassent du tort au bébé.

Lorsqu'un des partenaires se montre réticent à faire l'amour, trouvez le temps de partager d'autres formes d'intimité qui vous plaisent toujours, par exemple, caressez-vous, tenez-vous par la main, donnez-vous des massages ou prenez un bain ensemble.

Habituellement, les rapports sexuels ne causent aucun tort au bébé. Il peut cependant arriver que votre médecin vous conseille d'éviter ou de limiter les rapports, par exemple, si vous avez une infection, des saignements, des pertes de liquide amniotique ou une rupture de la membrane amniotique. Cela ne signifie pas que vous deviez délaisser complètement les rapports sexuels.

Profitez-en, si vous en avez le désir, pour essayer des formes de rapports autres que vaginaux, par exemple, la masturbation réciproque ou les rapports sexuels buccaux. Un petit conseil au sujet des rapports buccaux : avertissez votre partenaire de ne pas souffler d'air dans votre vagin, ce qui pourrait introduire de l'air dans votre système circulatoire et causer une embolie gazeuse qui pourrait être fatale pour vous et votre bébé.

Grossesse et activité physique

Maintenant que vous êtes enceinte, vous pouvez intégrer de nouvelles formes d'exercices à vos séances d'entraînement : des exercices d'aérobie (avec modération), de l'entraînement musculaire, des exercices de relaxation et les exercices de Kegel.

Les exercices d'aérobie

On appelle aérobie tout exercice qui exige suffisamment d'effort pour que la fréquence cardiaque de la personne soit plus élevée que lorsqu'elle est au repos, par exemple la marche rapide, le jogging, la bicyclette, la natation ou les sports d'équipe.

Quand n'est-il plus sécuritaire de faire de l'exercice?

Si vous vous trouvez dans l'une des situations suivantes, vous devez cesser de faire de l'exercice pendant votre grossesse jusqu'à ce que vous en ayez discuté avec votre médecin.

Troubles cardiaques

Graves problèmes pulmonaires et difficultés respiratoires

Tension artérielle élevée

Saignement vaginal pendant la présente grossesse

Carence en fer (anémie)

Grossesse à fœtus multiples (plus d'un bébé)

Difficulté à maîtriser le taux de sucre dans le sang (votre médecin s'inquiète de cette situation)

Bébé trop petit pour la durée de gestation (selon votre médecin)

Forte douleur dans le bas du dos

Malaise aux os du bassin

La femme, qui en fait régulièrement, pourra probablement continuer à faire les mêmes exercices ou à simplement en modifier la difficulté. Cependant, il vaut mieux, aussi tôt que possible dans la grossesse, tenir votre médecin au courant de votre programme d'exercice pour que vous sachiez si votre état de santé permet les exercices très vigoureux.

En général, il s'agit d'éviter les séances d'entraînement à la suite desquelles vous vous sentez exténuée, assoiffée ou avez trop chaud. Selon des études faites sur des animaux, une hausse soudaine de la température centrale du corps au cours des premières semaines de grossesse peut nuire au bébé.

Pour savoir si vous vous surmenez, faites le « test de la conversation ». Vous devriez toujours être capable de parler en faisant vos exercices, sinon, c'est un signe que l'exercice est trop exigeant.

Si votre médecin vous donne le feu vert, allez-y. Marchez, faites de la natation, participez à des cours de conditionnement physique, particulièrement ceux qui sont conçus à l'intention des femmes enceintes ou des nouvelles mamans. Les femmes qui participent déjà à des cours de conditionnement demanderont à l'instructeur d'éviter pour elles les exercices aérobiques avec sauts ou ceux qui mettent trop de pression sur le bas du dos.

De temps en temps, vérifiez votre fréquence cardiaque. Dans presque tous les centres de conditionnement, on affiche les fréquences cardiaques appropriées; visez à garder la vôtre dans la limite inférieure pour votre groupe d'âge.

Zone de fréquence cardiaque visée lors de séances d'aérobie pendant la grossesse

Âge de la mère	Zone de fréquence cardiaque visée
Moins de 20 ans	140 - 155
De 20 à 29 ans	135 - 150
De 30 à 39 ans	130 - 145
Plus de 40 ans	125 - 140

Ces chiffres sont valables pour la plupart des femmes enceintes. Lorsqu'il s'agit d'un nouvel exercice ou à un moment avancé de la grossesse, visez la limite inférieure de la zone de fréquence cardiaque.

Entraînement en force musculaire

Le développement et l'entretien de la masse musculaire constituent une partie importante de tout programme d'exercices. Cependant, soyez prudente et évitez tout entraînement avec les poids au cours duquel vous devez cesser de respirer ou fournir un grand effort. Attendez d'en avoir reçu l'autorisation de votre médecin avant d'entreprendre ou de poursuivre un programme d'entaînement avec les poids.

Quelques recommandations au sujet des exercices

Exercices d'aérobie

Parmi les exercices qui font appel aux grands muscles, on retrouve la marche, la natation, le cyclisme sur place et les exercices d'aérobie à faible intensité.

Allez-y avec prudence; commencez par une quinzaine de minutes d'activité modérée pour réchauffer vos muscles. Attention aux étirements ou aux mouvements trop énergiques quand vous n'avez pas encore bien réchauffé vos muscles. Cela pourrait vous causer inutilement des douleurs ou même des blessures aux muscles et aux ligaments.

Faites une pause lorsque vous en sentez le besoin. Cherchez à garder votre fréquence cardiaque dans la limite inférieure recommandée pour votre groupe d'âge.

Il est important de diminuer l'intensité de l'exercice au cours des 10 à 15 dernières minutes pour permettre à votre fréquence cardiaque de revenir à la normale.

Buvez beaucoup d'eau avant, pendant et après la séance d'exercice.

Soyez prudente lorsque vous pratiquez un sport qui exige de l'équilibre et de la coordination - votre centre de gravité se déplace au fur et à mesure de la croissance de bébé.

Évitez les sports de contact et les activités qui pourraient occasionner une chute ou un coup, tels que le ski alpin, l'alpinisme, le hockey en salle, le ski nautique et le soccer.

Entraînement en force musculaire

Évitez les exercices qui exigent que vous reteniez votre souffle tout en fournissant un effort de poussée comme, par exemple, dans les programmes intensifs de poids et haltères.

Exécutez les exercices abdominaux seulement à partir d'une position debout ou étendue sur le côté.

Tâchez d'éviter les étirements excessifs des ligaments et des tendons devenus plus flexibles grâce aux hormones de grossesse.

Il est maintenant très important de développer le tonus de vos muscles du plancher pelvien. Voir les exercices de Kegel en page 34.

Au gymnase ou au centre de conditionnement

Gardez toujours une posture correcte et évitez les exercices qui exigent beaucoup d'efforts du bas du dos.

Ne faites pas vos exercices dans des endroits chauds et humides. Il s'agit, par exemple, d'éviter ou à tout le moins de diminuer l'utilisation de cuves thermales, de saunas et de bains de vapeur afin d'éviter une hausse de température chez votre bébé.

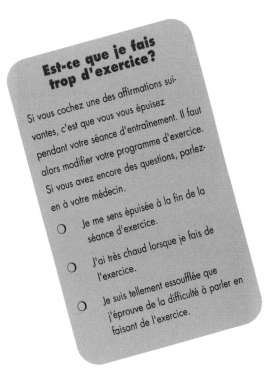

Est-ce que je fais trop d'exercice?

Si vous cochez une des affirmations suivantes, c'est que vous vous épuisez pendant votre séance d'entraînement. Il faut alors modifier votre programme d'exercice. Si vous avez encore des questions, parlez-en à votre médecin.

○ Je me sens épuisée à la fin de la séance d'exercice.

○ J'ai très chaud lorsque je fais de l'exercice.

○ Je suis tellement essoufflée que j'éprouve de la difficulté à parler en faisant de l'exercice.

Les exercices de Kegel pour raffermir les muscles du périnée

Les exercices de Kegel raffermissent les muscles qui entourent le périnée (région située entre le vagin et le rectum) et sont une préparation pour l'accouchement. On peut les faire n'importe où et n'importe quand. Essayez de les faire au moins trois fois par jour à raison de 12 à 20 contractions. C'est relativement facile à faire.

Les exercices peuvent aussi prévenir l'incontinence urinaire d'effort, c.-à-d. les « accidents » qui surviennent lorsque vous toussez, riez ou faites un effort. Pratiquez-les régulièrement; c'est une bonne habitude qui vous sera utile votre vie durant, soit pour vous aider à reprendre votre forme après un accouchement ou pour prévenir d'éventuels problèmes d'incontinence.

1 Confortablement assise ou debout, détendez-vous.

2 Localisez les muscles du périnée. Il s'agit des mêmes muscles dont vous vous servez lorsque vous essayez de retenir votre urine ou vos selles. Contractez-les.

3 Maintenez la contraction pendant 5 à 10 secondes. Ne retenez pas votre souffle; continuez à respirer normalement. Les muscles du ventre et ceux des fesses doivent être détendus.

4 Maintenant, relâchez la contraction pendant environ 10 secondes.

5 Répétez la séquence contraction - maintien - relâchement de 12 à 20 fois.

Faire basculer le bassin peut réduire les maux de dos

Cet exercice très simple, répété deux ou trois fois par jour, peut raffermir vos muscles abdominaux et soulager la pression exercée sur votre pauvre dos. Étendez-vous sur le dos, genoux pliés et pieds à plat. Détendez votre dos. Lorsque vous expirez, poussez vos fesses vers l'avant, basculez le bassin vers le haut sans arquez le dos. Maintenez la position en comptant jusqu'à trois. Inspirez et reprenez la position de départ. Détendez le dos. Répétez l'exercice 5 fois.

Chapitre 3

Une évolution tranquille : le deuxième trimestre

Comment s'y prend-on pour évaluer la croissance du bébé?

L'os qu'on peut palper juste au-dessus de la région du pubis s'appelle la symphyse pubienne. La partie arrondie au sommet de l'utérus s'appelle le fond de l'utérus. Lors de chaque consultation prénatale, le médecin ou l'infirmière mesurera la hauteur utérine, c'est-à-dire la distance entre la symphyse pubienne et le fond de l'utérus. Cette mesure révèle la rapidité de croissance de votre bébé. Vers 12 semaines de grossesse, le fond de l'utérus émerge du bassin; il atteindra la cage thoracique vers la 36e semaine. Entre 18 et 30 semaines de grossesse, la hauteur du fond utérin en centimètres est presque équivalent au nombre de semaines de la grossesse.

Lorsque commence le deuxième trimestre, la grossesse est en bonne voie et le risque de faire une fausse couche est beaucoup moindre. Une fois passés les nausées et les petits malaises du premier trimestre, vous vous sentirez plus comme vous-même. Les femmes qui se sentent à l'aise avec leur image corporelle et leur taille jouiront de ce stade de leur grossesse. La croissance du bébé est rapide et vous pourrez ressentir dans votre ventre les mouvements du bébé qui se tourne, culbute et donne des coups de pied.

Votre corps continue à se transformer

Au cours du deuxième trimestre, c'est le placenta qui voit à presque toute la fabrication des hormones. Votre niveau d'hormones se stabilise et vous devenez plus calme et plus sereine.

Les remarques de votre famille ou de vos amis au sujet de votre taille trop grosse ou trop petite pour vos dates vous préoccuperont. Mais si vous êtes fidèle à vos consultations prénatales, vous savez que le bébé grossit de façon adéquate.

Alors, pourquoi ne paraissez-vous pas de la bonne taille?

La forme et la taille de votre corps sont reliées à bien d'autres facteurs que la grosseur du bébé. Parmi ceux-ci on compte votre poids avant la grossesse, votre charpente, votre taille ainsi que le fait que ce soit ou non votre première grossesse. Les femmes de petite taille paraîtront plus rondes tandis que les femmes plus grandes ou de plus grosse ossature paraîtront plus minces. À la deuxième grossesse, le ventre est plus gros parce que les muscles du ventre et de l'utérus ont été étirés.

La pigmentation de votre peau a peut-être changé et une ligne verticale brunâtre qu'on appelle *linea nigra* s'est dessinée au centre de votre abdomen. Chez certaines femmes, des marques brunâtres irrégulières apparaissent autour des yeux, sur le nez et sur les joues. Habituellement, ces marques disparaissent lorsque le niveau hormonal redevient normal après la naissance du bébé.

Les seins aussi se préparent à nourrir bébé; vous observerez peut-être un écoulement de colostrum des mamelons. Le colostrum est un liquide clair et gluant fabriqué par vos seins et qui nourrira votre bébé à ses premières tétées avant que n'arrive le lait maternel. Il contient de nombreux anticorps qui protègent votre bébé contre les infections.

Les hormones facilitent l'accouchement en amollissant les ligaments et le cartilage du bassin et de la colonne vertébrale.

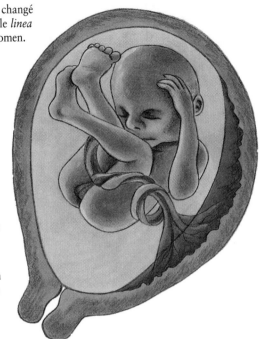

Bébé se développe de plus en plus

Le fœtus a maintenant l'air d'un bébé : il est parfaitement formé, tous ses organes sont bien en place, fonctionnels et en voie de maturation. Les vaisseaux sanguins sont à fleur de peau et donnent à celle-ci une couleur rouge. Une petite quantité de gras commence à se former sous la peau et un enduit épais et blanchâtre, semblable à du fromage (vernix caseosa) recouvre tout le corps. Depuis la 26e semaine, les paupières peuvent s'ouvrir et se fermer, les ongles ont poussé et, chez un certain nombre de bébés, les cheveux font leur apparition. Cheveux et sourcils sont visibles vers la fin de la 20e semaine, les cils, vers la 24e semaine. Le bébé baigne dans une bonne quantité de liquide amniotique composé des nutriments qui favorisent sa croissance; il contient aussi l'urine du bébé. Le cordon ombilical a un bon diamètre et est solide et très ferme (ce qui empêche la formation de nœuds).

Les consultations prénatales entre la 16e et la 24e semaines

Comme lors des dernières consultations prénatales, l'examen comprend la vérification de votre poids et l'évaluation de la croissance du bébé.

Lors de la consultation prénatale de la 16e à la 18e semaines, votre médecin recommandera peut-être une exploration échographique.

Cette exploration, au cours de laquelle on mesure la taille de votre bébé, permet à votre médecin de confirmer la date de l'accouchement.

Au cours de cette consultation, alors que votre grossesse est déjà presque à mi-chemin, il pourra répondre à toutes les questions suscitées par les transformations de votre corps. La possibilité d'une naissance prématurée sera sans doute la principale préoccupation pour vous et votre médecin.

Notes d'évolution

Date :

Semaines de grossesse :

Tension artérielle :

Poids :

Fréquence cardiaque fœtale :

Le travail prématuré

Ce n'est pas tout le monde qui connaît l'importance de mener une grossesse à terme. Un certain nombre de femmes espèrent une naissance prématurée, croyant qu'un bébé de petit poids sera plus facile à accoucher.

En fait, le travail prématuré est un des problèmes les plus fréquents de la grossesse; on lui attribue 75 p. cent des décès chez les bébés nés sans anomalies congénitales. Les bébés nés avant terme sont plus fragiles et souffriront, parfois leur vie durant, de problèmes liés à la prématurité. En général, plus un bébé est né prématurément, plus les problèmes de santé seront graves. Les bébés nés avant la 25e semaine ne survivent habituellement pas.

Il est important de savoir s'il s'agit véritablement de travail prématuré, car alors on peut l'arrêter ou le ralentir suffisamment pour pouvoir administrer un médicament bénéfique pour le bébé et traiter les troubles qui sont à l'origine du travail prématuré.

Qu'est-ce qui cause le travail prématuré?

On ne sait pas encore pourquoi certaines femmes entrent prématurément en travail et d'autres pas. On sait cependant qu'environ la moitié des femmes qui entrent prématurément en travail sont en parfaite santé et jouissent d'une grossesse en tout autre point normale. Quoi qu'il en soit, certains facteurs semblent augmenter le risque qu'une femme entre prématurément en travail.

Cependant, ce que vous faites pendant la grossesse peut vous aider à porter votre bébé plus longtemps et lui donner un meilleur départ dans la vie. Des études ont démontré que plus les femmes sont renseignées au sujet des symptômes et des risques du travail prématuré, plus il est possible de réduire le nombre d'accouchements prématurés.

En France, une étude à long terme a démontré une importante réduction sur l'ensemble des taux de prématurité lorsque les mesures suivantes avaient été prises :

- campagnes d'information du public sur le travail préterme et sur l'importance, pour la société en général, de mettre au monde des bébés à terme et en santé;

- sièges à bord des autobus et stationnements réservés aux femmes enceintes;

- consignation, par les femmes enceintes, dans un document semblable au présent guide, de notes témoignant de l'évolution de leur grossesse.

Suis-je à risque de travail prématuré?

Cochez aux endroits appropriés :

- ○ Je n'ai eu aucune surveillance médicale régulière pendant cette grossesse.

- ○ Ma tension artérielle est élevée.

- ○ Je vis un niveau élevé de stress.

- ○ Je porte plus d'un fœtus.

- ○ Je suis victime de violence de la part de mon conjoint ou d'une autre personne.

- ○ J'ai déjà eu un accouchement avant terme.

- ○ Mon poids est de moins de 45,5 kg (100 lb).

- ○ Je suis atteinte d'une maladie chronique.

- ○ Je suis fumeuse.

- ○ Je n'ai cessé de fumer qu'après ma 32e semaine de grossesse.

- ○ Je travaille de longues heures (plus de huit heures par jour) ou je travaille par quarts.

- ○ Mon travail exige beaucoup d'effort physique.

Si vous avez coché une ou plusieurs des affirmations, vous êtes une personne à risque de travail prématuré et devriez demander à votre médecin quelles mesures il vous serait avantageux de prendre.

Voici certains des facteurs de risque de travail prématuré et la façon dont on peut réduire ce risque.

Le tabagisme

Il est préférable de ne pas fumer du tout pendant la grossesse. Cela dit, lorsque vous cessez de fumer avant d'avoir atteint la 32e semaine de grossesse, le bébé peut encore en tirer de grands bienfaits. On traite plus longuement du tabagisme à la page 11.

Le travail exténuant

Les longues heures de travail, un travail fatigant de même que la fatigue chronique peuvent entraîner un accouchement prématuré. On traite plus longuement de cela à la page 45.

La violence physique et émotionnelle

Lorsque quelqu'un vous inflige de mauvais traitements, il maltraite aussi le bébé que vous portez. Même les mauvais traitements émotionnels peuvent entraîner un accouchement prématuré en élevant le niveau de stress. De grâce, réclamez l'aide dont vous avez besoin, appelez le centre d'aide familiale de votre localité.

L'incompétence cervicale - Il s'agit d'un problème peu fréquent associé au travail prématuré. Le col commence à se dilater (s'ouvrir) trop tôt au cours de la grossesse.

Le problème est parfois décelé lors d'un examen vaginal ou à l'occasion d'une mensuration du col à l'échographie. Dans certains cas, on y remédie en installant une suture qui entoure le col et qu'on ne retire qu'à la fin du terme.

Fibromes utérins

La présence de fibromes dans ou sur l'utérus peut en déformer l'apparence.

Lorsque les fibromes ont atteint cette importance et qu'on les détecte avant la grossesse, on peut alors les retirer. Par contre, s'il y en a peu, on ne devrait normalement pas éprouver de difficultés pendant la grossesse.

Les saignements au deuxième trimestre

Il peut se produire de légers saignements lorsque, avant le travail, le placenta commence à se détacher de la muqueuse de l'utérus. Chaque cas de saignement doit être étudié individuellement et peut être traité de façon différente selon ce qui l'a provoqué. Tout saignement doit être signalé au médecin.

La chirurgie abdominale pendant la grossesse

Il arrive parfois qu'on doive faire une chirurgie abdominale à une femme enceinte (par exemple, une appendicectomie). On devrait cependant éviter toute chirurgie abdominale qui n'est pas absolument nécessaire (non urgente) et la reporter après l'accouchement.

Les infections chez la mère
(Les plus courantes sont celles du vagin, du col, des reins et de la vessie.)

Si vous éprouvez de la douleur quand vous urinez ou le besoin d'uriner et que, dans l'occurrence, vous ne relâchez qu'une faible quantité d'urine, vous avez probablement une infection de la vessie. De même, si vous remarquez un écoulement vaginal inhabituel ou ressentez de la douleur dans la région de l'aine ou du bas-ventre et que vous faites de la fièvre, il pourrait s'agir d'une infection du vagin ou du col. Signalez-le au médecin.

Il peut arriver à n'importe qui d'entrer en travail avant la fin de sa grossesse, mais vos actions peuvent contribuer à en prévenir le risque. Apprenez à reconnaître les signes avant-coureurs de travail prématuré et intervenez rapidement si vous croyez être en travail.

Téléphonez à l'hôpital pour parler avec une infirmière de la salle de travail.

Téléphone :

Téléphonez à votre médecin.

Téléphone :

L'insuffisance de poids chez la mère

La type de traitement dépend de la cause du problème. On arrive parfois à atténuer le problème en mangeant, de façon régulière, des aliments bons et sains. Si votre poids est insuffisant et que vous éprouvez des difficultés à cet égard, consultez une diététiste professionnelle.

Le « placenta prævia »

Dans les cas de *placenta prævia*, le placenta s'insère et se développe sur le col (là où le bébé doit sortir). Ce problème peut entraîner une hémorragie pendant le travail.

Le problème est habituellement décelé au cours d'une exploration échographique systématique. Souvent, on recommandera à la mère de garder le lit pendant les dernières semaines de sa grossesse, et le bébé sera accouché par césarienne avant que le travail puisse débuter.

La rupture prématurée des membranes

C'est le cas où la membrane amniotique se rompt et laisse couler du liquide amniotique avant que la grossesse soit à terme.

Bien que certaines études attribuent le problème à une infection de l'utérus, il faudra pousser plus loin la recherche. Lorsque les membranes se rompent prématurément, le traitement sera fonction de la quantité de liquide amniotique perdu et de la proximité de la date prévue de l'accouchement. Il faut en avertir votre médecin.

L'hypertension gravidique (hypertension causée par la grossesse)

Elle peut être traitée de différentes façons selon la gravité du problème. Le sujet est traité plus longuement à la page 52.

Les maladies chroniques chez la mère

Pendant la grossesse, il devient parfois très difficile de maîtriser certaines maladies chroniques (par exemple le diabète, l'hypertension) si bien que, dans certains cas, l'accouchement du bébé sera la seule façon de mettre fin à l'évolution de la maladie. Quelquefois, le travail s'amorcera de lui-même, prématurément; d'autres fois, par contre, il faudra le déclencher.

Signaux d'alarme pendant la grossesse

Saignement vaginal

Écoulement vaginal abondant de liquide clair ou semi-clair

Douleur abdominale inexplicable

Diminution de l'activité du bébé

Arrêt de l'activité du bébé

Contractions utérines régulières avant la date prévue de l'accouchement

Maux de tête exceptionnels et persistants

Vision brouillée, présence de taches devant les yeux

Étourdissements

Les bébés nés avant terme

Environ sept bébés sur 100 naîtront prématurément, c'est-à-dire avant la fin de la grossesse. Ordinairement, le travail commence après la 37e semaine de grossesse et avant la fin de la 41e semaine. On dit que le travail est prématuré ou avant terme lorsqu'il commence avant la 37e semaine de grossesse.

Plus la naissance du bébé est prématurée, plus nombreuses seront les difficultés qu'il devra surmonter pour simplement survivre. Ces bébés éprouvent des difficultés principalement parce que leurs organes ne sont pas encore prêts à fonctionner de façon autonome; on parle alors d'immaturité des organes. Les poumons, par exemple, peuvent n'être tout à fait prêts à assumer la respiration du bébé que vers la fin de la grossesse. Un bébé né avant que ses poumons soient « prêts » peut éprouver, quelquefois durant toute sa vie, des problèmes respiratoires légers ou graves. De même, quand l'estomac et les intestins n'ont pas atteint leur maturité, des problèmes alimentaires peuvent s'ensuivre. Lorsque le système immunitaire de votre bébé, qui le protège de certaines maladies, ne peut fonctionner de façon autonome, cela fait en sorte que votre bébé pourrait être davantage susceptible aux infections.

Les bébés nés avant terme sont aussi plus enclins à avoir des difficultés avec leurs yeux et leurs oreilles. Leur peau est plus rouge et ils sont plus maigres à la naissance que les bébés nés à terme parce que leurs vaisseaux sanguins sont à fleur de peau et qu'ils ont peu de gras sous la peau. Sans tissus gras, ces bébés peuvent difficilement garder leur chaleur. Vu les circonstances difficiles qu'entraîne le tavail prématuré, les bébés prématurés sont plus souvent accouchés par césarienne. Une femme enceinte aura donc grand intérêt à faire tout son possible pour empêcher son bébé de naître prématurément.

L'immaturité des poumons chez le nouveau-né

Ce n'est qu'après la 32e semaine de grossesse que les poumons du bébé commencent à produire suffisamment d'une substance très importante qu'on appelle le surfactant. Cette substance tapisse les parois intérieures des sacs alvéolaires et empêche qu'ils ne restent collés lorsque le bébé respire pour la première fois. Le bébé qui naît sans la couche protectrice de surfactant est sujet au syndrome de détresse respiratoire du nouveau-né. Ce syndrome entraîne toute une suite de problèmes pour le nouveau-né. Il se peut qu'un certain nombre de ces bébés nés avant terme aient besoin de surveillance en soins intensifs et qu'on doive même utiliser, pour les maintenir en vie, un respirateur qui les aide à respirer ou qui respire pour eux.

Durant un travail prématuré (ce n'est cependant pas toujours nécessaire), le médecin peut vouloir vérifier le liquide amniotique afin de déterminer si le bébé a suffisamment de surfactant pour empêcher qu'il ne souffre du syndrome de détresse respiratoire du nouveau-né. En certaines circonstances, on peut hâter la maturation des poumons du fœtus en donnant à la mère une injection de stéroïdes immédiatement avant la naissance.

Pour savoir s'il s'agit de travail prématuré

Le travail commence lorsque votre utérus se contracte à intervalles réguliers. De plus, pour permettre la descente du bébé dans le passage d'expulsion, le col commence à s'amincir (effacement) et à s'ouvrir (dilatation). Le bouchon muqueux, formé pendant la grossesse pour protéger l'entrée de l'utérus, peut se détacher et causer des pertes de sang. Les membranes peuvent alors se rompre, c'est-à-dire qu'il peut y avoir une rupture soudaine de la poche de la cavité remplie de liquide amniotique dans lequel baigne le bébé.

Seul un examen pratiqué par un médecin ou une infirmière, qui vérifiera la qualité des contractions et la dilatation du col, permettra de déterminer s'il s'agit vraiment de travail prématuré. Le médecin, l'infirmière ou la sage-femme vérifiera le rythme cardiaque du bébé et recommandera peut-être une échographie pour confirmer la grosseur, l'âge et la position du bébé.

Une fois le travail véritable confirmé (et non de faux travail), et selon que vous êtes plus ou moins éloignée du terme de votre grossesse, vous devrez opter, avec votre médecin, pour une tentative d'interruption de travail ou pour la poursuite du travail. Tous les efforts déployés pour laisser le bébé se développer encore plus longtemps dans l'utérus lui seront habituellement bénéfiques.

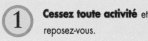

Si vous pensez être en travail prématurément :

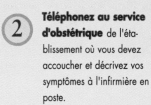

1 **Cessez toute activité** et reposez-vous.

2 **Téléphonez au service d'obstétrique** de l'établissement où vous devez accoucher et décrivez vos symptômes à l'infirmière en poste.

3 **Rendez-vous immédiatement au service d'urgence le plus proche lorsque :**

- vos membranes se rompent;

- vous avez des saignements vaginaux;

- vous éprouvez de la douleur abdominale;

- vous avez des contractions régulières qui se rapprochent et deviennent plus fortes.

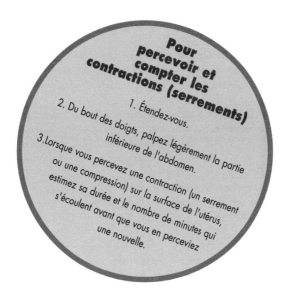

Pour percevoir et compter les contractions (serrements)

1. Étendez-vous.

2. Du bout des doigts, palpez légèrement la partie inférieure de l'abdomen.

3. Lorsque vous percevez une contraction (un serrement ou une compression) sur la surface de l'utérus, estimez sa durée et le nombre de minutes qui s'écoulent avant que vous en perceviez une nouvelle.

Mesures à prendre pour éviter le travail prématuré

Cesser de fumer

Essayez de comprendre pourquoi vous fumez et obtenez de l'aide pour trouver d'autres façons de contourner les problèmes. Renseignez-vous sur les programmes d'abandon de la cigarette dans votre municipalité. Informez-vous auprès de votre médecin au sujet des programmes qui peuvent vous aider à cesser de fumer.

Manger sainement

Consultez une diététiste professionnelle au sujet de vos habitudes alimentaires. Planifiez vos repas pour que les principales catégories d'aliments figurent au menu; évitez les aliments-camelote. Buvez beaucoup de lait.

Demander de l'aide si nécessaire

La sécurité est un droit. Si vous êtes victime de violence, téléphonez à la maison d'hébergement pour femmes battues de votre localité et demandez-leur où vous pouvez obtenir de l'aide.

Vous reposer beaucoup

Prévoyez un moment de la journée pour vous reposer et ne vous en sentez pas coupable. Il est important de se reposer pendant la grossesse.

Apprendre à réduire le stress

Partagez vos sentiments avec une personne en qui vous avez confiance. Familiarisez-vous avec les techniques de relaxation comme la méditation et l'auto-massage. Essayez le yoga.

Éviter le travail trop fatigant

Lisez à la page 45 ce qui constitue un travail fatigant et évitez de faire ces choses pendant la grossesse.

Ne pas vous épuiser lorsque vous faites de l'exercice pendant la grossesse

Même si vous êtes très en forme, il ne faut pas, à certains moments de la grossesse, augmenter l'intensité des séances d'entraînement. Vous trouverez de plus amples renseignements aux pages 31 à 33.

Reconnaître les signes avant-coureurs de travail prématuré

Vous pouvez obtenir de l'information à l'occasion de rencontres prénatales à l'hôpital ou au sein de la communauté. Vous trouverez de plus amples renseignements sur les signes avant-coureurs de travail prématuré à la page 43. Parlez-en aussi à votre médecin.

Connaître les mesures à prendre si vous croyez que le travail est amorcé prématurément

Demandez à votre médecin ce que vous devez faire si la chose se produit. Notez bien ses instructions et les numéros de téléphone dont vous aurez besoin (les instructions sont à la page 43).

Voir votre médecin régulièrement pendant la grossesse

C'est encore le meilleur moyen d'éviter le travail prématuré, car votre médecin aura ainsi la possibilité de déceler les problèmes qui constituent une menace de travail prématuré et ainsi intervenir pour éviter une telle situation.

Le diabète gestationnel

Chez certaines femmes, les hormones de grossesse modifient la façon dont leur corps utilise l'insuline de sorte qu'elles se mettent à faire un genre de diabète lié à la grossesse, le diabète gestationnel. Dans la plupart des cas, il s'agit du type de diabète gestationnel sans complication, ce qui signifie que le taux de sucre dans le sang pourra être contrôlé avec un régime approprié et de l'exercice. Dans une faible proportion des cas, on peut devoir administrer de l'insuline par injection pour contrôler le taux de sucre dans le sang. Après la naissance du bébé, le diabète gestationnel disparaît dans la plupart des cas; cependant, certaines femmes souffriront peut-être de diabète plus tard. Dans presque tous les cas, avec une bonne préparation, un contrôle strict et un appui professionnel, les femmes qui souffrent de diabète gestationnel peuvent avoir une grossesse normale et un bébé en santé.

(Pour une explication des exigences particulières auxquelles doivent faire face les femmes qui présentent un diabète de type 1 ou insulino-dépendant au moment où elles deviennent enceintes, voir la page 29).

Au sujet des mouvements du fœtus

Lorsque le fœtus remue ses bras et ses jambes, c'est pour faire de l'exercice ou pour changer de position et être ainsi plus à l'aise. Quand il s'agit d'une première grossesse, il se peut que vous ne sentiez pas les mouvements du bébé avant la 19e semaine. S'il s'agit d'un deuxième enfant ou plus, vous sentirez les mouvements plus tôt, vers la 17e semaine. À partir de ce moment, vous devriez sentir le bébé bouger tous les jours et à différents moments de la journée. Rappelez-vous qu'il y a des moments pendant la journée où le bébé dort, et d'autres où il est très actif. On peut vous demander de tenir compte des mouvements de bébé en comptant le nombre de coups que vous ressentez.

Au sujet de votre emploi à l'extérieur

Dans les cas de grossesse normale et sans complication, le travail à l'extérieur ne pose habituellement aucun problème. Cependant, certaines études ont démontré qu'un travail fatigant ou qui exige qu'on se tienne debout pendant de longues périodes est associé à une légère augmentation de certains problèmes tels que le travail prématuré, la naissance de bébés de poids insuffisant et les fausses couches. En répondant aux questions posées dans l'encadré de droite, vous verrez si votre travail est jugé trop fatigant.

Mon travail est-il trop fatigant?

Cochez les affirmations qui s'appliquent à votre travail.

○ Je me baisse ou me penche plus de 10 fois l'heure.

○ Je dois grimper à l'échelle plus de 3 fois par quart de travail.

○ Je dois me tenir debout pendant plus de 4 heures d'affilée.

○ Je dois monter des escaliers plus de 3 fois par quart de travail.

○ Je travaille plus de 40 heures par semaine.

○ Je travaille par quarts.

○ Je devrai soulever des poids de plus de 23 kg (50 lb) après ma 20e semaine de grossesse.

○ Je devrai me tenir debout pendant plus de 4 heures d'affilée et soulever des poids de plus de 11 kg (24 lb) après ma 24e semaine de grossesse.

○ Je devrai me baisser ou me pencher ou grimper à l'échelle après ma 28e semaine de grossesse.

○ Je devrai soulever des poids lourds après ma 30e semaine de grossesse.

○ Je devrai me tenir debout sans bouger pendant plus de 30 minutes de chaque heure après ma 32e semaine de grossesse.

Si vous avez coché au moins une des affirmations ci-dessus, on peut considérer que votre travail est trop fatigant pendant la grossesse. Votre médecin peut recommander un changement de travail jusqu'à ce que vous ayez accouché. Vous trouverez de plus amples renseignements au sujet du travail et de la grossesse à la page 7.

Les malaises fréquents du deuxième trimestre

Maux de dos

À mesure que votre abdomen grossit, vous devez cambrer le dos vers l'arrière pour rétablir votre centre de gravité soumettant ainsi les muscles de votre dos à un effort constant. De plus, l'augmentation de poids dans la région du bassin conjuguée à un déplacement et à un affaiblissement des articulations peut aussi causer des maux de dos pendant la grossesse. Afin de vous protéger de tels maux, essayez de toujours vous asseoir bien droite, évitez les talons hauts, servez-vous des muscles de vos jambes et non de ceux de votre dos pour lever des poids (ou essayez de ne rien lever) et ne vous tenez pas debout pendant de longues périodes. Lorsque vous avez des maux de dos, essayez l'application de chaleur ou demandez à votre conjoint de vous masser le dos. Certaines thérapies peuvent s'avérer bénéfiques et valent la peine d'être essayées tels le yoga, les étirements et les exercices de relaxation. En page 34, vous trouverez de l'information au sujet des exercices de balancement du bassin qui peuvent aider à soulager les tensions du dos. Changez souvent de position et prenez, malgré le surmenage, le temps de vous étendre, d'élever les jambes et de vous détendre.

Constipation

La grossesse peut amener un ralentissement du passage de la nourriture dans l'intestin, ce qui peut aussi causer la constipation. De plus (et en plus de donner à vos selles une couleur noire), les suppléments de fer peuvent aussi vous constiper. Pour empêcher que vos selles ne deviennent sèches et dures, on conseille de boire chaque jour au moins huit verres de liquides (eau, lait, jus). Faites régulièrement de l'exercice et mangez des fruits et des légumes crus ainsi qu'une bonne quantité de fibres pour faciliter le passage de la nourriture dans l'intestin. Votre médecin peut aussi vous prescrire un laxatif pour ramollir les selles.

Hémorroïdes

Au cours de la grossesse, bon nombre de femmes enceintes souffrent des hémorroïdes, une varicosité des veines du rectum. Cette lésion survient souvent à cause de la pression supplémentaire exercée sur les veines par l'augmentation du volume de l'utérus. Si la femme doit faire un effort pour évacuer des selles dures, la situation s'aggrave et les hémorroïdes « sortent » autour de l'anus. Elles occasionnent parfois de la douleur et des saignements. Essayez d'éviter la constipation en incluant à votre régime beaucoup de fibres alimentaires, de légumes, de fruits et de céréales. Pour que vos selles soient molles, buvez beaucoup de liquides. Le médecin recommandera quelquefois des onguents pour les résorber.

Infections des voies urinaires (IVU)

Les voies urinaires comprennent les reins, les uretères, la vessie et l'urètre. Les infections des voies urinaires sont fréquentes pendant la grossesse. Les deux reins sécrètent de l'urine. L'urine coule goutte à goutte le long de canaux (uretères) dans la vessie. Lorsque la vessie est pleine, l'urine est évacuée du corps par un canal appelé urètre. Il est parfois difficile de déceler l'infection des voies urinaires. L'infection des voies urinaires basses (vessie) se caractérise habituellement par une douleur lorsque vous urinez, une fréquence accrue du besoin d'uriner et un débit d'urine très faible par rapport au besoin impérieux que vous ressentez. Cette infection est facilement traitable avec des antibiotiques. Par contre, l'infection des voies urinaires supérieures (qui touche les reins) est plus grave. Elle peut entraîner, entre autres, des frissons, de la fièvre, des nausées, des vomissements, des troubles cardiaques, des maux de dos ou au côté et des malaises au bas-ventre. Les femmes qui sont sujettes aux infections urinaires doivent se montrer très prudentes. Les IVU comptent parmi les principales causes du travail prématuré. Pendant la grossesse, signalez toujours au médecin les symptômes qui s'apparentent à la grippe et qui pourraient masquer une maladie plus grave.

Indigestions et brûlures d'estomac

Une sensation de brûlement à l'arrière de la gorge, dans le creux de l'œsophage ou dans l'estomac indique peut-être que vous faites une indigestion liée aux hormones de grossesse et souffrez à cause de la pression exercée par l'augmentation de volume de l'utérus.

Manger et boire en plus petites quantités peuvent vous soulager, mais il faudra alors manger et boire plus souvent. Évitez la caféine ainsi que les aliments gras ou épicés qui, on le sait, donnent des gaz. Restez assise bien droite après un repas pour donner le temps à la nourriture de passer de l'estomac à l'intestin. Vous pouvez prendre des antiacides sans crainte. Si aucun de ces conseils ne vous soulage, parlez-en à votre médecin.

Douleur à l'aine

À mesure que le bébé grossit, l'étirement du ligament rond qui retient l'utérus en position peut causer des spasmes. L'étirement produit parfois une douleur vague ou encore, une sensation en coup de poignard sur un ou les deux côtés du bas-ventre. Les douleurs surviennent surtout au deuxième trimestre. Elles causent des inquiétudes aux femmes enceintes qui croient quelquefois qu'il s'agit de travail prématuré. Évitez de tourner la taille trop rapidement et, lorsque vous ressentez cette douleur, penchez le haut de votre corps en direction de la douleur afin de relâcher la tension exercée sur le muscle. Étendez-vous et reposez-vous et, si la douleur persiste ou augmente, ou si vous n'êtes pas soulagée par un changement de position, faites-vous examiner par votre médecin ou présentez-vous au service d'obstétrique de votre hôpital.

Étourdissements lorsque vous êtes étendue sur le dos

La veine cave, un des vaisseaux sanguins majeurs, ramène vers le cœur le sang de la partie inférieure du corps. Elle se trouve le long de la colonne vertébrale. Lorsque la veine cave est coincée sur la colonne vertébrale par la pression de l'utérus qui augmente de volume, le flot sanguin qui se rend au cœur, aux poumons et au cerveau est diminué. Vous ressentez alors un étourdissement. La compression peut aussi dimi-nuer l'apport de sang au bébé. Voilà pourquoi il vaut mieux, pendant les derniers mois de la grossesse, ne pas vous étendre sur le dos. Bien que vous puissiez vous étendre des deux côtés, il est préférable, si possible, de vous étendre sur le côté gauche de façon à améliorer le flot sanguin de la veine cave.

Enflure des jambes, des chevilles et des pieds

Pendant la grossesse, il est normal que vos jambes, chevilles et pieds enflent un peu. Ce genre de gonflement augmente au fur et à mesure de la journée, mais devrait avoir disparu le lendemain matin. Le problème peut s'aggraver par temps chaud. Une enflure du visage ou des mains peut indiquer la présence d'un problème plus sérieux. Renseignez-vous sur l'hypertension de la grossesse à la page 52.

Vergetures

Au cours de la grossesse, certaines femmes voient apparaître des marques rouges qu'on appelle vergetures, sur leurs seins, leur ventre et leurs cuisses. À notre connaissance, aucune étude n'af-firme ou n'infirme que l'application d'huiles ou de crèmes sur l'abdomen peut atténuer les vergetures. Par ailleurs, nombre de femmes appliquent de l'huile (surtout l'huile à base de vitamine E ou de lanoline) sur leur ventre. On ne sait pas encore si cette pratique réduit les vergetures. De toute façon, le massage rythmique produit par l'application d'huiles et de crèmes vous relaxera, vous et votre bébé, et ne peut que vous faire du bien.

Peau sèche et démangeaisons

N'utilisez pas de savon (sauf peut-être un savon à la glycérine) qui contribue à éliminer les lubrifiants naturels de la peau. Rester trop longtemps dans la baignoire peut également retirer les huiles naturelles du corps. Ajoutez de l'huile ou un produit émollient comme Aveeno® à l'eau du bain pour adoucir la peau irritée. Prenez garde en sortant de la baignoire, car l'huile peut la rendre glissante. Après le bain ou la douche, appliquez une lotion hydratante sur la peau encore humide : elle restera souple et douce.

Quelques conseils pour aider à diminuer l'enflure des jambes et des pieds :

Exercez régulièrement vos jambes (natation, marche).

Ne croisez pas les jambes.

Portez un bas élastique et évitez les chaussettes à bande élastique.

Ne restez pas immobile pendant de longs moments.

Lorsque vous le pouvez, élevez vos jambes au-dessus du niveau du cœur.

Chapitre 4

Sprint final :
le troisième trimestre

La fin de la grossesse approche; vous vous sentez peut-être inquiète et fatiguée et avez sans doute hâte d'avoir votre bébé. Les examens prénataux sont plus rapprochés au cours des derniers mois de la grossesse, souvent même à chaque semaine le dernier mois. À chaque visite, on vérifie votre tension artérielle, votre urine de même que la position du bébé.

Chez la plupart des femmes, le travail peut commencer après la 38e semaine et avant la fin de la 41e semaine de grossesse.

Votre corps continue à se modifier

Pendant le troisième trimestre, votre grossesse est apparente. La partie supérieure de l'utérus va dépasser l'ombilic pour atteindre la cage thoracique et votre ventre pointera de plus en plus. Cette croissance progressive peut devenir incommodante et vous pouvez ressentir de la pression sur la cage thoracique et sur la région du bassin ainsi que l'étirement de vos muscles abdominaux. La tête du bébé descend dans le bassin et vous en ressentirez peut-être une douleur aiguë dans l'aine ou le vagin.

Bébé continue à se développer

Bébé est maintenant parfaitement formé et continue à grossir, de la 25e ou 26e semaine, au moment où son poids atteint de 700 à 900 g (de 1 1/2 à 2 lb), jusqu'à la 35e ou 36e semaine, au moment où son poids sera d'environ 2 500 g (5 1/2 lb) et finalement, jusqu'à terme, moment où il pèse de 3 000 à 4 000 g (de 6 1/2 à 9 lb).

Les organes sont bien en place et continuent leur croissance et leur maturation. Les jambes et les bras du bébé sont repliés contre son corps et il s'adonne à des moments d'activité et de repos (tout comme un nouveau-né). Ses mouvements respiratoires deviennent réguliers vers la 20e ou 21e semaine. De la 26e à la 29e semaine, ses poumons peuvent respirer de l'air. Bien qu'il commence à se sentir à l'étroit dans l'utérus, vous devriez le sentir bouger tous les jours.

Il est toujours entouré et protégé par une bonne quantité de liquide amniotique.

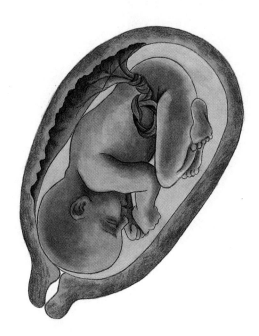

Les consultations prénatales
de la 24ᵉ à la 32ᵉ semaines

L'examen comprend la vérification de votre poids et l'évaluation de la croissance du bébé. Comme lors des dernières consultations prénatales, on passera en revue les symptômes du travail prématuré et les moyens que vous prenez pour en éviter le risque que cela se produise. Mangez-vous toujours bien et faites-vous régulièrement de l'exercice? Votre bébé est-il à l'abri des effets de la cigarette et de l'alcool? Vos conditions de travail sont-elles sources de stress ou de fatigue physique? Vous reposez-vous suffisamment?

On examinera avec vous les résultats de tests ou d'examens échographiques subis depuis votre dernière consultation.

Comme lors des examens subséquents, on reverra avec vous la planification du grand jour et ce à quoi il faut vous attendre. Grâce à ces discussions et à vos lectures, vous aurez une meilleure idée des choix qui s'offrent à vous pour l'accouchement et commencerez à vous former une opinion quant à ce qui est préférable pour vous, votre bébé, votre conjoint et votre famille.

Lors de cette consultation, on abordera également la question de l'allaitement naturel. (Voir page 53-55)

Notes d'évolution

Date :

Semaines de grossesse :

Tension artérielle :

Poids :

Fréquence cardiaque fœtale :

Suis-je à risque de développer de l'hypertension pendant la grossesse?

Cochez les affirmations qui décrivent votre situation.

◯ C'est ma première grossesse.

◯ Je faisais de l'hypertension avant de devenir enceinte.

◯ Je suis diabétique.

◯ Je souffre d'une maladie qui affecte mes reins.

◯ Je porte plus d'un bébé.

◯ J'ai un très faible revenu.

◯ J'ai moins de 18 ans.

◯ J'ai plus de 35 ans.

Si vous avez coché au moins une des affirmations ci-dessus, on peut vous considérer à risque de développer de l'hypertension pendant la grossesse.

L'hypertension gravidique (toxémie)

Quand une femme enceinte souffre d'hypertension en raison de sa grossesse, on dit qu'elle souffre d'hypertension gravidique. Cet état peut aussi s'appeler toxémie ou pré-éclampsie. L'hypertension est le terme médical qui désigne la « haute pression ».

Lorsqu'une femme souffre d'hypertension gravidique, ses vaisseaux sanguins se resserrent, ce qui peut réduire le flot sanguin vers le placenta. Cette réduction peut en même temps limiter l'apport de sang au bébé et par là, restreindre sa croissance. De plus, ce trouble entraîne la présence d'albumine dans l'urine et, fréquemment, l'enflure du visage, des mains, des pieds et des chevilles.

Symptômes de l'hypertension gravidique (toxémie)

Si l'un de ces symptômes se manifeste, avertissez immédiatement votre médecin.

Douleur à la partie supérieure droite de l'abdomen.

Maux de tête aigus et persistants ou variables.

Vue brouillée ou présence de taches devant les yeux.

Enflure inhabituelle surtout au visage et gain de poids soudain de plus d'une livre par jour.

Votre médecin vérifiera si votre tension artérielle est élevée (supérieure à 140/90) et s'il y a présence de protéines dans votre urine.

Qui peut en souffrir?

Sept femmes sur 100 souffriront d'hypertension gravidique. Pour la plupart d'entre elles, il s'agit de leur première grossesse. Les femmes souffrant déjà d'hypertension avant de devenir enceintes sont aussi plus susceptibles d'en souffrir pendant leur grossesse.

Traitement de l'hypertension gravidique

Quand une femme souffre d'hypertension gravidique, son équipe soignante fera tout en son pouvoir pour que le bébé puisse rester dans l'utérus aussi longtemps que possible, pourvu que cela ne présente aucun risque pour elle ou son bébé.

Lorsque l'hypertension est légère, le repos au lit suffit souvent à réduire la tension artérielle un peu élevée. On vous demandera alors, lorsque vous vous reposez, de vous étendre sur le côté (jamais sur le dos), afin de favoriser le flot sanguin vers votre utérus et vos reins. Dans certains cas, le médecin recommandera un séjour à l'hôpital jusqu'à ce que la tension artérielle soit maîtrisée ou la prise de médicaments antihypertenseurs.

Les cas graves d'hypertension gravidique entraînent, chez la mère, un niveau très élevé de tension artérielle ainsi que des troubles des reins, du foie et du cerveau. Des modifications au niveau du cerveau peuvent provoquer des crises épileptiques. Bien que la chose ne se produise que rarement de nos jours, une grave hypertension gravidique qui ne serait pas traitée peut même entraîner la mort de la mère et de son bébé. On donnera des médicaments à la mère afin de réduire sa tension artérielle et d'éviter les crises épileptiques. Lorsque la situation s'aggrave, il vaut mieux accoucher le bébé.

L'alimentation de votre bébé

On a beaucoup étudié la question de l'allaitement naturel au cours des 20 dernières années. Les chercheurs y ont clairement identifié de nombreux avantages tant pour la mère que pour l'enfant. S'appuyant sur ces preuves scientifiques, la Société des obstétriciens et gynécologues du Canada (SOGC), la Société canadienne de pédiatrie (SCP), l'Organisation mondiale de la santé (OMS) et le Fonds des Nations Unies pour l'enfance (UNICEF) reconnaissent que le lait maternel est la meilleure source de nourriture pour les six premiers mois de la vie.

Pourquoi le lait de maman est-il le meilleur?

Depuis des millénaires, les mères ont allaité leurs enfants et l'allaitement maternel demeure la façon idéale de les nourrir. Aujourd'hui, 75 p. cent des Canadiennes allaitent le bébé qu'elles mettent au monde. En tant que mère qui allaite, vous recevrez, de nombreuses sources, un appui tant émotionnel que pratique.

Le lait maternel, y compris le colostrum, contient des anticorps qui renforcent le système immunitaire de votre bébé et aident à combattre la maladie. Comme son système immunitaire est plus fort, votre bébé courra moins de risques d'infections, par exemple, les rhumes, les otites, les grippes intestinales, la rougeole infantile, les infections rénales, la pneumonie et la méningite. Les bébés nourris au sein sont moins sujets à certains troubles intestinaux (par exemple, la maladie cœliaque et la maladie de Crohn), à l'asthme, aux allergies et à l'eczéma. Le lait maternel réduit même le risque d'appendicite.

Comme le lait maternel est plus facile à absorber et plus rapide à digérer que les préparations pour nourrissons, les bébés allaités souffrent moins de constipation ou de maux d'estomac. Les bébés ne sont presque jamais allergiques au lait maternel tandis qu'ils peuvent avoir des réactions allant de l'allergie légère à l'allergie grave aux préparations pour nourrissons.

Le lait maternel est le seul à contenir les acides gras oméga-3 qui sont très importants pour le développement du cerveau. Il contient aussi des protéines au principe hormonal actif qui contribuent au développement de l'intestin, du tissu nerveux et des cellules qui peuvent combattre les maladies.

Vous-même bénéficiez tout autant de l'allaitement maternel. Lorsque vous allaitez, certaines hormones sont libérées, ce qui aidera votre utérus à reprendre sa dimension normale. L'allaitement vous protège aussi du cancer du sein, de l'ovaire et de l'utérus. L'allaitement favorise l'intimité et la création d'un lien particulier entre la mère et son bébé. Enfin, l'allaitement est gratuit et n'exige aucune préparation. Les préparations pour nourrissons coûtent en tout au moins 1 500 $, et ce, pendant la première année seulement.

Si vous envisagez nourrir le bébé au biberon, renseignez-vous le plus possible sur les deux méthodes. Tenez compte de vos sentiments, de ceux de votre conjoint, de vos croyances culturelles, du facteur nutritionnel et des coûts.

Pour obtenir plus d'information, parlez-en avec d'autres femmes, communiquez avec des organismes comme la Ligue La Lèche, Canada, Service de renseignements sur l'allaitement (1-800-665-4324) ou avec le personnel infirmier de votre centre local de santé. Si vous avez besoin d'aide, vous trouverez, dans certaines localités, des cliniques d'allaitement et des consultations privées auprès d'expertes en allaitement.

Si vous décidez de ne pas allaiter, votre équipe soignante respectera votre décision et vous appuiera dans votre démarche.

L'allaitement — départ au colostrum

La plupart des bébés sont prêts à téter dès leur première heure de vie. Jusqu'à ce que vos seins produisent du lait blanc (habituellement entre 2 et 4 jours), ils sécréteront un liquide jaunâtre et laiteux appelé colostrum. Le colostrum renferme des anticorps, des acides gras oméga-3 et la combinaison idéale de nutriments, de minéraux, de vitamines et d'oligo-éléments qui convient au bébé. Le bébé naît avec suffisamment de réserves d'eau et de gras pour le soutenir jusqu'à l'apparition du lait maternel. En attendant, le colostrum répond parfaitement à ses besoins. Certains nouveau-nés perdent du poids après leur naissance parce qu'ils ont utilisé leurs réserves de gras et d'eau. La perte de poids ne devrait pas dépasser 5 p. cent du poids à la naissance. Il vaut mieux donner le sein au bébé dès qu'il semble avoir faim. Ne jamais donner de supplément d'eau au bébé.

Mythes au sujet de l'allaitement

1. **L'allaitement maternel est une chose simple et naturelle.**

    Faux *Il est normal pour de nombreuses mères et leur bébé d'éprouver des difficultés au début; les mères peuvent avoir besoin de conseils.*

2. **Toutes les mères produisent suffisamment de lait pour nourrir leur bébé.**

    Faux *La plupart des mères produisent suffisamment de lait pour nourrir leur bébé.*

3. **Les bébés tètent différemment au sein qu'au biberon.**

    Vrai *Le mécanisme de succion n'est pas le même lorsqu'il s'agit du sein ou du biberon; la différence peut créer de la confusion chez le bébé.*

4. **Après l'allaitement mes seins risquent de « tomber ».**

    Faux *Votre poitrine vous semblera peut-être différente après l'allaitement, mais la plupart des changements qui se produisent dans les tissus mammaires (tel l'affaissement) sont graduels et plutôt fonction du vieillissement.*

5. **Si j'allaite, je ne devrais pas utiliser le biberon.**

    Faux *On peut utiliser une combinaison des deux méthodes bien qu'il soit préférable de s'en tenir à l'allaitement maternel pendant les tout premiers mois.*

6. **On devrait sevrer les bébés à l'âge de 6 mois.**

    Faux *Le lait maternel est le meilleur pour les bébés et les tout-petits. L'Organisation mondiale de la santé (OMS) recommande l'allaitement pendant les 2 premières années ou plus. Si l'allaitement vous convient, il n'y a pas de raison pour ne pas poursuivre jusqu'à ce que l'enfant soit prêt à le faire. C'est le sevrage au gré de l'enfant.*

7. **Il y a des mères qui ne devraient pas allaiter.**

    Vrai *Bien que la chose ne soit pas fréquente, certaines femmes doivent prendre des médicaments qui peuvent nuire au bébé. De même, les mères atteintes du sida ou celles qui consomment des drogues illicites et de l'alcool devraient aussi s'abstenir d'allaiter.*

8. **Les femmes qui ont des implants mammaires ne peuvent allaiter.**

    Faux *De nombreuses femmes peuvent allaiter même si elles ont des implants. Ceux-ci sont faits de silicone, le même matériau qu'on retrouve dans de nombreuses suces et tétines de biberon.*

9. **Certaines femmes sécrètent un lait « bleu », clair et sans valeur nutritionnelle.**

    Faux *Le lait maternel peut sembler moins riche que les préparations pour nourrissons, mais il est tout aussi nutritif.*

10. **Avant de commencer à allaiter, je dois « conditionner » mes mamelons en les massant avec une crème et les « endurcir » en les frottant tous les jours avec une étoffe rugueuse au moins 3 mois avant la naissance du bébé.**

    Faux *Les seins sécrètent d'eux-mêmes une substance huileuse qui assure la souplesse du mamelon. Les frotter avec une étoffe rugueuse pourrait endommager les tissus.*

11. **Avant de commencer à allaiter, je dois extraire du colostrum pour qu'il soit abondant lorsque le bébé sera né.**

    Faux *Ce n'est pas nécessaire.*

12. On doit donner une suce au bébé qu'on allaite au sein pour qu'il apprenne à téter.

Faux *Avec une suce, le bébé peut mal apprendre à téter; elle peut tromper sa faim; enfin, c'est aussi une des façons de transmettre les maladies.*

13. Il est préférable d'allaiter le bébé dès qu'il semble avoir faim.

Vrai *Avec l'allaitement sur demande, les bébés sont plus satisfaits. En général, au début, le nouveau-né est allaité entre 8 et 12 fois par jour.*

14. Tant les bébés nourris au sein que ceux qui sont nourris au biberon ont besoin de supplément d'eau.

Faux *Les biberons d'eau donnés au nourrisson n'ont aucune valeur nutritive et peuvent entraîner une diminution de l'appétit lors des repas.*

15. Puisque je vais allaiter, je dois particulièrement soigner mon alimentation.

Faux *Sauf les cas où la mère suit un régime rigoureux, le lait maternel est d'une excellente qualité.*

16. Je dois sevrer le bébé avant mon retour au travail.

Faux *De nombreux choix s'offrent aux mères qui retournent au travail. Certaines d'entre elles allaitent lorsqu'elles sont à la maison et, lorsqu'elles sont au travail, extraient leur lait pour le donner au bébé le lendemain. D'autres allaitent lorsqu'elles sont à la maison et utilisent leur lait maternel congelé ou une préparation pour nourrissons lorsqu'elles sont à l'extérieur.*

Que contiennent les préparations pour nourrissons?

Les préparations pour nourrissons contiennent les calories et les nutriments dont bébé a besoin pour grandir. Elles sont composées de nombreux ingrédients dont la liste paraît sur chaque étiquette. On peut les diviser en deux catégories : celles qui sont à base de lait de vache écrémé et celles qui sont à base de fève de soja. On y ajoute des huiles comme l'huile de noix de coco, de tournesol ou de soja de même que des minéraux essentiels, des vitamines et des oligo-éléments nécessaires pour la croissance et le développement.

Ceci dit, les préparations ne peuvent se comparer au lait que la mère fabrique pour son enfant; la science ne peut reproduire le mélange complexe de protéines, de gras, d'hormones et de tous les autres éléments que contient le lait humain.

De plus, aucune préparation commerciale sur le marché ne contient les globules blancs et les anticorps qui protègent le bébé des maladies, ni les acides gras oméga-3 qui sont nécessaires pour le développement du cerveau. Les bébés nourris au biberon ont plus de réactions allergiques aux préparations au lait de vache qu'en ont les bébés allaités au lait maternel.

Les consultations prénatales entre la 32ᵉ et la 36ᵉ semaines

Les consultations prénatales sont maintenant espacées de 2 à 3 semaines. L'examen comprend la vérification de votre poids et l'évaluation de la croissance du bébé. Comme lors des consultations précédentes, le médecin sera attentif aux signes avant-coureurs de travail prématuré. On porte une grande attention à votre bébé et à sa croissance.

Avec votre médecin, vous passerez en revue votre plan de naissance (page 60) et lui ferez part de toute inquiétude que vous pourriez avoir au sujet de l'accouchement.

Streptocoque du groupe B

Vers la 36e semaine de la grossesse, on peut procéder à une analyse pour déterminer chez vous la présence de bactéries de streptocoque du groupe B. Cette bactérie est différente de celle qui cause l'angine streptococcique. Lorsqu'on détecte chez vous la présence de streptocoques du groupe B sans que vous ne montriez de signe d'infection, on considérera que vous êtes « colonisée », c'est-à-dire, positive. La bactérie streptocoque du groupe B se trouve habituellement dans le vagin ou le rectum et peut infecter la vessie, les reins et l'utérus. Les infections du streptocoque du groupe B ne sont pas graves pour la mère et peuvent être facilement traitées aux antibiotiques. Par contre, il y a toujours un risque, si minime soit-il, que, pendant l'accouchement, vous transmettiez la bactérie au bébé qui, à son tour, serait alors infecté. Le streptocoque du groupe B peut affecter, chez les bébés infectés, le sang, le cerveau, les poumons et la colonne vertébrale et causer des troubles tant légers que graves.

Dépistage du streptocoque du groupe B

Pour dépister chez une femme la présence de streptocoques du groupe B, on fait des prélèvements par frottis de son vagin et de son rectum avec des cotons-tiges qui sont ensuite plongés dans une solution spéciale pour voir si la bactérie va se reproduire. C'est ce qu'on appelle faire une « culture ». Il se peut que le médecin fasse aussi analyser votre urine pour déterminer la présence de la bactérie.

Traitement du streptocoque du groupe B

Il n'existe encore aucune méthode de dépistage et de traitement du streptocoque du groupe B qui puisse empêcher, dans tous les cas, que la bactérie soit transmise au bébé. Bien que la chose ne se produise que très rarement, il arrive encore que des bébés meurent d'une infection au streptocoque du groupe B.

Si les résultats des analyses effectuées vers la 36e semaine de grossesse se révèlent positifs, il se peut qu'on vous administre un antibiotique pendant le travail. Un certain nombre de médecins, au lieu de prescrire des contrôles systématiques de dépistage du streptocoque du groupe B, préfèrent administrer un traitement aux femmes à risque élevé de le transmettre à leur bébé. Les deux façons de faire sont valables.

Vous pouvez être à risque de transmettre le streptocoque du groupe B à votre bébé dans les cas suivants :

1. Votre travail commence avant la 37e semaine de votre grossesse.

2. Votre grossesse est à terme mais, la membrane amniotique est rompue 18 heures ou plus avant le moment prévu de l'accouchement.

3. Vous faites un peu de fièvre sans raison apparente.

4. Vous avez déjà eu un bébé atteint du streptocoque du groupe B.

5. Vous avez ou avez eu une infection de la vessie ou des reins causée par la bactérie du streptocoque du groupe B.

L'accouchement à l'hôpital

Au Canada, les soins donnés en obstétrique ont bien changé depuis que votre mère vous a mise au monde, et encore plus depuis le temps où sa mère était « en couches » comme on disait alors.

Au cours des deux dernières décennies, les médecins, les infirmières et les mères ont encouragé le changement dans la façon de s'y prendre pour donner les soins obstétricaux. On donne maintenant des soins à la mère dans une perspective familiale plutôt que d'utiliser une orientation strictement médicale des soins. Après avoir évalué les bienfaits de certaines pratiques courantes employées dans les hôpitaux afin de vérifier qu'elles étaient bénéfiques pour les femmes, on a abandonné les lavements et les épisiotomies systématiques.

Dans les hôpitaux, les services d'obstétrique se sont adaptés aux besoins des femmes pour devenir, tout en prodiguant d'excellents soins médicaux le cas échéant, des endroits chaleureux et conviviaux où accoucher.

Les soins sont davantage personnalisés : on incite maintenant les femmes à faire un plan de naissance qui reflète leurs désirs et leurs choix.

Dans tout le Canada, avec l'appui et les conseils d'obstétriciens, de médecins de famille et d'infirmières, on a ouvert des centres de naissance et des services intégrés : travail, accouchement, récupération et post-partum.

Afin de rendre l'accouchement plus sécuritaire et plus satisfaisant pour la mère, la plupart des hôpitaux canadiens ont adopté une démarche plus axée sur la famille. Lorsque les programmes de soins de maternité des hôpitaux font appel à la participation de chaque membre de la famille, cette dernière y gagne puisqu'elle en ressort plus forte et plus saine. Les pères et les autres membres de la famille sont enclins à être d'un plus grand soutien quand ils sentent qu'on a besoin d'eux et qu'on leur permet de participer au processus de l'accouchement. Bien qu'il soit habituellement préférable que les enfants en bas âge n'assistent pas à l'accouchement, on recommande qu'ils se joignent aux autres aussi tôt que possible après l'accouchement afin d'accueillir le nouveau membre de la famille.

L'infirmière en obstétrique/sage-femme

La tendance actuelle, dans les cas de grossesse normale, est d'accorder un rôle de choix aux personnes qui prodiguent appui et compréhension à la femme en travail. De nombreuses études démontrent que les risques de complications pour la mère ou pour le bébé sont moindres lorsque la femme en travail est suivie de près par une infirmière en obstétrique ou une sage-femme expérimentée. Dans les situations idéales, l'infirmière en obstétrique ou la sage-femme s'occupe aussi de vous et de votre enfant après l'accouchement.

L'accouchement n'est pas une maladie, mais plutôt une expérience normale de la vie

De nos jours, il devrait être possible pour la femme, dans le cas d'une grossesse à faible risque, d'être admise à l'hôpital, d'accoucher normalement et de quitter sans avoir reçu de soluté intraveineux, de médicament, de lavement, de rasage du pubis, ni de prise de sang. (traduction libre)

Société des obstétriciens et gynécologues du Canada (SOGC), 1997

La cohabitation

Quand les soins sont donnés dans une perspective familiale, la plupart des bébés « cohabitent », demeurent dans la même chambre d'hôpital que leur mère et non dans la pouponnière. Dans les situations normales, il est bon et sain que mère et nouveau-né partagent la même chambre, de la naissance à la sortie de l'hôpital. Autrefois, on croyait que les pouponnières étaient des endroits plus propres, donc plus sécuritaires pour les bébés que la chambre de leur mère; en fait, c'est le contraire. Lorsque le nouveau-né habite dans la même chambre que sa mère, c'est elle qui s'en occupe presque tout le temps. Par contre, dans une pouponnière, le bébé est soigné par plusieurs infirmières qui s'occupent probablement toutes d'autres bébés. En dépit du nombre de fois que les infirmières se lavent les mains, le bébé court plus de risques d'infection dans la pouponnière.

Evaluation des soins de maternité de votre hôpital

Mon hôpital :

○ **tiendra compte du plan de naissance** que j'ai élaboré ou offre un plan de naissance courant que l'on peut adapter à ses propres besoins;

○ **m'incitera** à avoir un accompagnant pour m'assister pendant le travail;

○ **offre un service professionnel** de soutien pendant le travail;

○ **facilite l'allaitement maternel** immédiatement après l'accouchement;

○ **n'éloignera pas mon bébé de moi**, sauf pour une raison médicale;

○ **nous permet**, à ma famille et à moi, de garder le bébé dans ma chambre;

○ considère que l'accouchement est un événement **naturel et normal**, pas une maladie;

○ tentera **d'assigner la même infirmière** à mes soins avant, pendant et après l'accouchement. (Certains hôpitaux peuvent ne pas avoir suffisamment de personnel infirmier pour le faire, mais la plupart essaieront);

○ **respecte mes croyances religieuses;** on y fait tout ce qui est possible pour satisfaire mes besoins culturels;

○ **m'offre la liberté de choix** par rapport aux interventions, aux positions de travail, à la position d'accouchement et aux mesures de maîtrise de la douleur;

○ a des **heures de visite souples**; on y permet aux enfants de visiter leur mère tôt après l'accouchement et aussi souvent qu'ils le désirent.

Si vous pouvez répondre à l'affirmative à presque toutes les affirmations ci-haut, c'est que les soins de maternité de votre hôpital sont axés sur la famille. Par contre, même si la situation est autre, la plupart des personnes qui dispensent les soins s'efforceront de répondre à vos besoins. Il y a de fortes possibilités que, si vous confiez au personnel infirmier le plan de naissance que vous avez rédigé, vous puissiez accoucher de la façon que vous désirez.

La rédaction du plan de naissance

Le plan de naissance est un document écrit à l'intention de votre médecin et du personnel infirmier de l'hôpital dans le but de leur indiquer quel genre d'accouchement vous désirez et quels soins vous souhaitez que votre enfant reçoive.

Comment rédiger le plan de naissance

Le plan doit être simple et tenir dans une seule page. Ayez des exigences réalistes qui tiennent compte du fait que l'expérience de l'accouchement est partagée par l'équipe qui vous soigne, vous-même, votre conjoint, le bébé et les membres de votre famille. Le plan sera plus efficace si vous décrivez le déroulement de votre accouchement comme vous espérez qu'il ait lieu et quelles sont vos options de rechange au cas où ce ne soit pas possible. Vous pouvez par exemple écrire : « Je préfère qu'aucune tubulure intraveineuse ne soit en place pendant l'accouchement, sauf si et au moment où cela deviendra nécessaire. »

À quel moment rédiger le plan de naissance

Habituellement, on rédige le plan après en avoir discuté avec son médecin et lorsqu'on connaît les pratiques courantes et les soins offerts par l'hôpital. Il est également préférable d'en discuter avec le conjoint et les membres de la famille lorsqu'ils doivent y participer de quelque façon. Il s'agit cependant de votre propre corps et votre famille doit comprendre que vous êtes seule à pouvoir prendre certaines des décisions les plus personnelles (lorsqu'il s'agit, par exemple, de soulager la douleur). Ayez deux copies du plan. La première doit être remise à votre médecin; l'autre doit être acheminée au personnel du service d'obstétrique avant la fin du 8e mois de grossesse ou leur être remis si vous êtes admise à l'hôpital pour travail prématuré.

N'entrez pas trop dans les détails. Personne ne peut prévoir le déroulement du travail et de l'accouchement; il est donc important que votre plan de naissance soit flexible.

Le contenu de votre plan de naissance

Nous avons dressé une liste des points les plus communs mentionnés par les femmes dans leurs plans de naissance. Ils ne doivent pas obligatoirement figurer dans votre propre plan. Vous pouvez laisser tomber les points qui n'ont pas trop d'importance pour vous. Par contre, si vous tenez à un point qui n'a pas été mentionné, n'hésitez pas à l'inclure dans votre plan de naissance.

L'accompagnant

Les études démontrent que la femme jouit davantage de son expérience lorsqu'elle a le soutien continu d'une personne qui s'occupe d'elle (un accompagnant formé). L'hôpital vous assigne une professionnelle (infirmière d'obstétrique) qui devient votre soutien pendant le travail, l'accouchement et après la naissance du bébé.

Les lavements

Aujourd'hui, on ne donne plus de lavement systématique dans les hôpitaux. Cependant, un certain nombre de femmes, particulièrement lorsqu'elles sont constipées avant le travail, estiment qu'un lavement soulage la pression exercée sur le gros intestin.

Le rasage de la région pubienne

De nos jours, dans la plupart des hôpitaux, on ne procède plus au rasage systématique de la région pubienne. Quelquefois, lorsqu'on devra pratiquer une épisiotomie, on limite le rasage à la région de l'intervention pour en faciliter la réparation.

Le soluté intraveineux

Dans la pupart des hôpitaux, on n'installe pas systématiquement de soluté intraveineux à moins que votre grossesse ne soit considérée à risque ou qu'il y ait une indication médicale de le faire. La tubulure donne immédiatement accès à votre système sanguin en cas d'urgence. Elle s'avère très utile lorsqu'on doit administrer certains médicaments comme les antibiotiques ou les médicaments qui déclenchent le travail ou dans les cas ou on donne une anesthésie péridurale. Dans certains cas, lorsqu'elles sont déshydratées pendant le travail, les femmes bénéficient de l'apport supplémentaire de liquide administré par voie intraveineuse.

Les prises de sang

Lorsque la grossesse est normale, donc à faible risque, on ne fait pas de prise de sang de façon systématique. Il existe quand même des cas où on doit procéder à certaines analyses (par exemple du taux de sucre dans le sang pour les femmes diabétiques) afin de s'assurer que tout va bien.

Le travail provoqué

À la fin de la 41e semaine de grossesse, si le travail n'a pas commencé, ou lorsque surviennent certaines complications, votre médecin pourrait envisager de provoquer le travail. On ne devrait jamais provoquer le travail sans une bonne raison. Lisez le passage sur la « grossesse prolongée » à la page 69.

La surveillance fœtale

On a maintenant la preuve qu'au cours d'un travail normal, il est préférable d'effectuer la surveillance fœtale de façon intermittente en utilisant des méthodes qui ne gênent pas vos mouvements. Dans certaines circonstances, cependant, il faudra effectuer une surveillance fœtale constante en utilisant des moniteurs de surveillance continue (voir page 75).

Activité de la mère pendant le travail

De nos jours, dans la plupart des hôpitaux, on encourage les mères à circuler librement pendant les premières phases du travail. On a prouvé qu'un exercice léger, au cours du premier stade, contribue à la bonne progression du travail.

La nourriture et les boissons pendant le travail

Vous pouvez consommer de la nourriture et des boissons en petite quantité au cours des premières phases du travail afin de ne pas vous déshydrater et de conserver vos forces. Cependant, lorsque vous êtes en période de travail actif, il est préférable de ne rien manger; de toute façon, la plupart des femmes n'en ont pas envie. Vous pouvez quand même boire des liquides légers. Dans certaines situations à haut risque, on peut limiter ce que vous pouvez boire ou manger.

Le soulagement de la douleur

Il existe tout un éventail de moyens pour vous aider à supporter la douleur du travail et de l'accouchement, à partir des respirations spécifiques jusqu'au bloc péridural. Quand on arrive à maîtriser la douleur chez la mère qui est en travail, cette dernière participe plus activement à l'accouchement. C'est une bonne chose d'opter pour l'accouchement naturel (sans analgésiques), mais c'est également bien de changer d'avis si la douleur devient intolérable. Au chapitre six, on traite de différentes façons de faciliter le travail.

Les poussées d'expulsion

Vers la fin du stade du travail actif, vous ressentirez fortement le besoin d'expulser le bébé et vous voudrez pousser. Le corps éprouve naturellement le besoin de produire quelques courts efforts d'expulsion pendant chaque contraction et d'inspirer et d'expirer entre chaque poussée. On a prouvé que c'est avec cette méthode que le bébé reçoit le plus d'oxygène. Dans certains hôpitaux, on favorise une méthode différente. On demande aux mères de prendre une grande respiration et de la garder pendant qu'elles font un effort d'expulsion prolongé se terminant par une expiration. On a prouvé qu'avec cette méthode on diminue, à la longue, l'apport d'oxygène au bébé, mais qu'il est possible d'accélérer ainsi le processus de l'accouchement. Quelquefois, on peut vous demander de ne pas pousser parce que le col n'est pas tout à fait prêt à laisser passer le bébé. Dans ce cas, on vous dira ce que vous pouvez faire pour arrêter de pousser (replier les genoux vers la poitrine ou respirer d'une façon spécifique).

Les positions d'accouchement

Aujourd'hui, les recherches ont clairement établi que les positions assise ou semi-assise facilitent davantage l'accouchement. Ces positions semblent réduire la durée du stade d'expulsion. La position étendue sur le côté est une position naturelle d'accouchement qui comporte de nombreux avantages. La position accroupie a d'abord le mérite d'améliorer l'angle du bassin de sorte que le bébé a plus d'espace pour sortir, ensuite, d'utiliser la force de gravité pour permettre au bébé de glisser et de sortir plus rapidement. De nos jours, on n'attache plus les jambes des femmes aux étriers.

L'épisiotomie

Aucune preuve n'appuie la pratique systématique de l'épisiotomie (incision qui élargit l'espace à la sortie du vagin). Il y a plus d'avantages à ne pas pratiquer l'épisiotomie; on évite ainsi la douleur après l'accouchement, on favorise un meilleur fonctionnement sexuel par la suite et on prévient un certain relâchement des muscles du plancher pelvien. Par contre, l'épisiotomie devient parfois nécessaire pour réduire la compression des tissus vaginaux et pour accélérer la naissance si le bébé est en souffrance.

Les croyances culturelles et religieuses

Sentez-vous bien à l'aise de dresser la liste de vos besoins dans ce domaine, par exemple les traditions, les croyances et les attentes qui vous touchent, vous, votre bébé et votre famille.

La cohabitation

Les études démontrent qu'il est préférable pour vous et votre bébé de partager la même chambre. Lorsque les bébés cohabitent avec leur mère, c'est surtout elle qui s'en occupe tandis que dans la pouponnière, plusieurs personnes s'occupent des bébés. Pour les nouveau-nés, le risque d'infection est donc plus grand dans la pouponnière. La cohabitation permet en outre de tisser des liens entre la mère et son enfant.

L'accouchement par césarienne

Si une césarienne est prévue, vous désirerez sans doute indiquer quelle méthode d'anesthésie vous préférez et si vous désirez que votre conjoint assiste à l'intervention. Si vous deviez faire face à un accouchement d'urgence, quels seraient alors vos choix?

L'allaitement

Quand commencer l'allaitement

Selon les recherches effectuées, il est préférable de commencer à allaiter dans les 2 heures suivant l'accouchement, alors que le bébé est le plus éveillé. C'est également le meilleur moment pour commencer à tisser des liens entre vous et votre enfant.

L'horaire

Selon les études effectuées, il est préférable de nourrir le bébé dès qu'il a faim plutôt que de lui imposer un horaire. C'est ce qu'on appelle l'allaitement sur demande.

L'allaitement

Selon les études effectuées, la plupart des bébés qu'on allaite n'ont besoin de rien d'autre que le lait maternel. Les suppléments d'eau donnés au biberon tendent à réduire l'appétit du bébé et à créer chez lui de la confusion en raison de la différence entre les tétines et le mamelon.

Obtenir de l'aide

Vous avez de nombreuses façons d'obtenir de l'aide pour l'allaitement. Parfois, on vous en offrira, d'autres fois vous devrez le demander. Dans plusieurs régions, on peut trouver des programmes de soins à domicile, des cliniques de santé communautaires, des cliniques pour l'allaitement et des consultants professionnels de l'allaitement.

Chapitre 5

Prête pour la fin du parcours

Points importants à considérer avant le début du travail

Comment vous rendrez-vous à l'hôpital? Votre voiture est-elle fiable? Avez-vous un plan de rechange?

Lorsque votre travail commencera, pouvez-vous facilement prévenir la personne qui vous accompagnera pendant le travail?

Habitez-vous loin de l'hôpital? Serait-il préférable de faire le trajet en automobile afin d'estimer le temps requis? Quand vous le ferez, tenez compte des conditions de la route ainsi que des possibilités de circulation accrue à l'heure de pointe. Convenez d'une autre route au cas où la route prévue ne soit pas accessible.

Où devez-vous stationner la voiture à l'hôpital?

À l'hôpital, devez-vous être inscrite à l'avance ou pouvez-vous simplement vous y présenter?

Qui prendra soin des enfants que vous laissez à la maison?

Quelqu'un doit-il se rendre chez vous pour nourrir vos animaux domestiques pendant votre séjour à l'hôpital?

Votre corps n'a pas fini de se modifier

À un certain moment, vers la fin de la grossesse, la plupart des bébés se placent tête en bas dans la position dite engagée. On appelle quelquefois l'événement la « descente » du bébé ou l'« allégement ». Il est tout à fait normal que le bébé ne se fixe tête première que peu avant le début du travail. Lorsque le bébé s'enfonce profondément dans le bassin, sa tête s'appuie sur le col. Vous éprouverez une sensation différente et semblerez porter le bébé plus bas. L'avantage c'est qu'une fois le bébé descendu, vous sentirez moins de pression sur vos côtes et respirerez plus facilement. Par contre, la descente de ce poids lourd taxera encore plus les muscles et exacerbera les maux de dos.

L'utérus commence à « s'exercer » et produit des contractions (contractions de Braxton Hicks) qui peuvent ou non être douloureuses, mais qui sont irrégulières. Vous pourrez ou non les ressentir. Vu la pression exercée par l'utérus sur les vaisseaux sanguins du bassin, l'enflure des pieds et des mains sera peut-être plus prononcée. L'enflure du visage et des mains peut annoncer un problème plus sérieux. (Renseignez-vous sur l'hypertension de la grossesse à la page 52.)

Les os du bassin sont plus mobiles et peuvent causer de la douleur, surtout dans le dos. Vous remarquerez peut-être que vos seins sécrètent du colostrum qui forme des croutes sur les aréoles (bien que plusieurs femmes ne produisent pas de colostrum avant la naissance du bébé). Vos seins seront probablement gonflés et lourds et vous aurez besoin d'un bon soutien-gorge de maintien pour les prochains mois, surtout au temps de l'allaitement. L'abdomen peut devenir tellement distendu que votre ombilic pointe. La pigmentation brune de votre peau ou *linea nigra* est encore plus apparente vers la fin de la grossesse.

Votre bébé et son développement en fin de terme

Le bébé à terme est rond et dodu. Il mesure de 46 à 51 cm (de 18 à 20 po) et pèse de 3 à 4 kg (de 6 1/2 à 9 lb). L'enduit semblable à du fromage qui protégeait sa peau est presque entièrement disparu et ce qui en reste est huileux et aidera au processus de l'accouchement.

Le bébé ferme les yeux quand il dort et les ouvre lorsqu'il est éveillé. Ses poumons fabriquent maintenant le surfactant qui les prépare à leur première respiration. Le système immunitaire du bébé à terme n'est pas encore à point. Pour remédier à ce problème, le bébé reçoit les anticorps que vous lui fournissez par le placenta avant sa naissance, et en recevra encore par les tétées (colostrum) suivant sa naissance. Le placenta mesure maintenant environ 20 cm (de 8 à 10 po) de diamètre et a près de 2,5 cm (1 po) d'épaisseur.

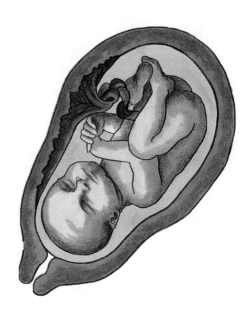

Les consultations prénatales entre la 36e et la 42e semaines de grossesse

Au cours des 4 à 6 dernières semaines de la grossesse, les consultations prénatales ont lieu toutes les semaines. Lors de chaque examen, on vous surveille de près pour s'assurer que votre bébé continue sa croissance et que votre corps se prépare au grand événement.

_____

_____

_____

_____

_____

_____

_____

_____

_____

_____

_____

_____

_____

_____

_____

_____

_____

_____

Notes d'évolution

Date :

Semaines de grossesse :

Tension artérielle :

Poids :

Fréquence cardiaque fœtale :

Notes d'évolution

Date :

Semaines de grossesse :

Tension artérielle :

Poids :

Fréquence cardiaque fœtale :

Notes d'évolution

Date :

Semaines de grossesse :

Tension artérielle :

Poids :

Fréquence cardiaque fœtale :

Faire sa valise

Il est préférable de préparer sa valise quelques semaines avant la date prévue de l'accouchement au cas où le bébé s'annonce plus tôt. Une fois le travail commencé, vous n'aurez probablement pas le temps de penser à tout ce qu'il vous faut apporter.

Aide-mémoire pratique à votre intention

- Le présent guide, un stylo, du papier
- Une copie de votre plan de naissance
- Une robe de chambre, des vêtements de nuit, des pantoufles
- Des vêtements amples pour le retour à la maison
- Des chaussettes supplémentaires
- Un soutien-gorge (d'allaitement ou de maintien)
- Des sous-vêtements
- Une brosse à dents, de la pâte dentifrice
- Une brosse à cheveux, un peigne
- Un appareil-photo, des piles, de la pellicule
- De la monnaie pour le téléphone et les distributrices
- D'autres articles de soutien pour le travail, par exemple de l'huile pour les massages de dos

Et pour le bébé

- Des vêtements pour le retour à la maison
- Des couches
- Une couverture légère
- Une couverture plus chaude
- Un bonnet
- Un siège d'enfant pour l'auto

Malaises fréquents à la fin de la grossesse

Crampes aux jambes, aux mollets et aux pieds

Au cours des 3 derniers mois de leur grossesse, bon nombre de femmes souffrent de crampes qui surviennent surtout pendant la nuit. Les crampes subites aux jambes, aux mollets et aux pieds causent une douleur vive suivie d'un mal plus diffus qui s'installe pour de longues périodes. Lorsqu'une crampe se manifeste, voici ce que vous pouvez faire : malgré la douleur, pointez les orteils vers les genoux pour allonger et redresser le muscle. Gardez le pied dans cette position et dessinez lentement de petits cercles avec le bas de la jambe. Ensuite, massez en profondeur le muscle endolori pour stimuler la circulation sanguine dans cette région.

L'insomnie

Les femmes enceintes éprouvent souvent des difficultés à dormir pendant la grossesse, particulièrement au cours du dernier trimestre. Ce n'est pas tâche facile de trouver une bonne position avec un ventre qui a grossi, sans compter qu'on doit se rendre plusieurs fois par nuit à la toilette. Soutenez, grâce à des oreillers, vos jambes, votre ventre et votre dos (mais ne vous couchez pas sur le dos). Laissez-vous gagner par le sommeil pendant que votre conjoint vous masse le dos. Un bon bain chaud avant le coucher peut aussi vous aider. Gardez la chambre à coucher fraîche. Évitez les somnifères qui peuvent traverser le placenta et rendre le bébé somnolent.

Les pertes vaginales

Pendant la grossesse, il est normal que les pertes vaginales augmentent et qu'elles deviennent encore plus abondantes (laissant quelquefois des taches) pendant le dernier trimestre. Vous vous sentirez peut-être plus à l'aise avec la protection d'une mini-serviette sanitaire. Les pertes ont l'apparence et la texture du blanc d'œuf. Elles ne doivent pas être teintées de sang (à moins qu'il ne s'agisse du bouchon muqueux), ni trop liquides (il pourrait s'agir de liquide amniotique), ni malodorantes (ce qui pourrait être signe d'infection). Les pertes ne doivent pas causer de douleur, de démangeaisons ou d'irritation à la région vaginale. Signalez à votre médecin toute situation suspecte.

Le prétravail

Le « travail » est fait par l'utérus; son action débute lentement, puis augmente de fréquence et d'intensité. Au fil des mois, l'utérus a augmenté de volume et s'est étiré; il commence à se contracter au cours des quelques semaines précédant l'accouchement. Les contractions dites de Braxton Hicks ne causent habituellement pas de douleur et sont obligatoirement irrégulières. Bon nombre de mères ne les sentent pas lorsqu'elles se produisent.

Appréhensions au sujet du travail

Il est normal de ressentir une certaine inquiétude face à l'accouchement, surtout lorsqu'il s'agit d'un premier bébé. Au Canada, les accouchements à l'hôpital sont réputés très sécuritaires. En dépit du fait qu'il est toujours possible que les choses tournent mal, il reste que presque tous les bébés qui naissent sont normaux et en santé. Il ne faut jamais perdre de vue, et c'est à la fois le thème et la raison d'être du présent guide, que les études ont démontré que les choses se passent beaucoup mieux à l'accouchement lorsque la femme est renseignée et préparée. Les femmes qui sont renseignées au sujet du déroulement du travail et de l'accouchement se montrent moins craintives et effrayées que celles qui ne le sont pas. Lorsqu'on sait à quoi s'attendre, on se sent plus rassurée et moins inquiète, et la douleur semble plus supportable.

La grossesse prolongée

Environ 10 p. cent des femmes n'auront pas encore accouché à la fin de leur 41e semaine de grossesse ou dans la semaine suivant la date prévue de leur accouchement. Après 41 semaines, il s'agit d'une grossesse prolongée et d'un bébé qui naît après terme. Pour pouvoir déclarer qu'une grossesse est prolongée, la date prévue d'accouchement doit être précise. Elle doit avoir été calculée tôt durant la grossesse, en fonction des dates de vos dernières règles et des résultats de l'échographie que vous avez subie vers la 16e à la 20e semaines. On peut difficilement se fier à la date prévue d'accouchement lorsque celle-ci est calculée à un moment plus avancé de la grossesse, à partir de dates incertaines pour les règles et de résultats d'échographies tardives.

Un placenta qui vieillit

Un faible pourcentage de bébés nés après terme auront des problèmes de santé. On ne connaît pas la cause des problèmes chez ces quelques bébés, mais on soupçonne le vieillissement du placenta. À mesure qu'il vieillit, le placenta se détériore et peut perdre sa capacité de bien faire son travail. Lorsque cela se produit, il peut en résulter une diminution des nutriments et de l'apport de sang et d'oxygène au bébé. Dans certains cas, la croissance du bébé peut s'en trouver ralentie.

Pour assurer la sécurité du bébé lorsque la grossesse se prolonge

Si, à la fin de la 41e semaine de grossesse ou dans la semaine suivant la date prévue d'accouchement, le bébé n'est pas encore né, vous et votre médecin ferez face à deux possibilités : attendre le début du travail tout en exerçant une étroite surveillance du bébé ou provoquer les contractions et le travail. Lorsque le col n'est pas « favorable » ou prêt pour le travail, on choisit souvent d'« attendre les événements ».

Il existe plusieurs façons d'exercer la surveillance du bébé pendant la période d'attente.

Faire le décompte des mouvements du bébé—Une des meilleures façons de s'assurer de l'activité du bébé est de compter le nombre de ses mouvements. Vous pouvez en faire le décompte à la maison, à n'importe quel moment de la journée. C'est vous qui êtes la mieux placée pour déterminer si les mouvements du bébé se sont modifiés. Souvenez-vous que le bébé qui n'est pas né à terme est à l'étroit et que ses mouvements peuvent être moins vigoureux. Qu'à cela ne tienne, vous devriez le sentir bouger toute la journée et tous les jours. On pourrait vous demander d'en tenir compte par écrit.

L'exploration échographique—L'échographie peut être nécessaire pour permettre au médecin d'évaluer la santé du bébé. Les résultats sont souvent comparés à ceux de vos échographies précédentes.

Le test de réactivité fœtale—Il s'agit d'un tracé du rythme du cœur fœtal, effectué à l'hôpital ou au cabinet du médecin. La fréquence est relevée sur une période de 20 à 30 minutes. Si le bébé est bien portant, le tracé démontrera des accélérations de la fréquence cardiaque fœtale en concurrence avec les mouvements.

Au moment jugé propice, on pourra provoquer votre travail.

Travail véritable et faux travail

Pour vous aider à déterminer s'il s'agit de travail véritable, notez la durée et la fréquence de vos contractions. Notez le nombre de minutes écoulées à partir du début d'une contraction jusqu'au début de la prochaine; notez aussi la longueur de chacune. Essayez de le faire pendant une heure.

Intensité des contractions

Les contractions deviennent de plus en plus fortes et vous sentez votre utérus devenir dur.	Les contractions n'augmentent pas d'intensité. Elles peuvent devenir plus faibles à certains moments et même disparaître temporairement.

Effet de l'activité

L'activité de la mère n'affecte pas les contractions qui continuent à devenir plus fortes; elles ne diminuent pas et ne s'espacent pas.	Lorsque vous êtes active, les contractions peuvent diminuer d'intensité, se calmer ou disparaître temporairement.

Régularité des contractions

Les contractions deviennent régulières et prévisibles; au début, elles sont espacées de 5 minutes (ou moins) et durent environ de 30 à 70 secondes.	Les contractions sont irrégulières et ne forment pas de tracé régulier.

Chapitre 6

Bientôt l'arrivée

Enfin, après des mois d'attente, et peut-être au moment où vous vous y attendez le moins, voilà que se manifeste le début du travail; vous saurez alors que le temps de l'accouchement est arrivé. Comme la plupart des femmes, il se peut que vous en ressentiez de la surprise, de la nervosité et même un peu de crainte.

Lorsque commence le travail

Personne ne sait encore vraiment ce qui déclenche le travail, mais on croit que les hormones ont un rôle important à jouer. Il n'existe encore aucun moyen de prédire exactement quand le travail se déclenchera.

Les signes du travail

Un certain nombre de femmes se rendent tout de suite compte que le travail a commencé; d'autres ne le sentent pas et, dans certains cas, même les experts ont de la difficulté à le confirmer. Lorsque vous êtes dans l'incertitude, rendez-vous à l'hôpital.

Pertes—Au cours de la grossesse, un bouchon muqueux s'est formé à l'entrée du col. Lorsque le col commence à ouvrir, le bouchon se dégage. Vous pourrez noter des pertes vaginales différentes, d'aspect gélatineux, quelquefois teintées de sang, ou encore des pertes plus abondantes claires ou rosées. Ces signes peuvent se manifester plusieurs jours avant le début du travail; attendez d'avoir d'autres signes de travail.

Rupture des membranes—On dit que les membranes sont rompues lorsque la « poche » qui contient le liquide amniotique dans lequel baigne le bébé laisse échapper le liquide ou bien se rompt tout à fait. C'est ce dont on parle quand on dit que « les eaux ont crevé ». L'événement peut se produire au cours des heures précédant le travail ou à n'importe quel moment du travail. Rendez-vous alors à l'hôpital.

Contractions—Les premiers signes du travail sont souvent les contractions de l'utérus; ce dernier se contracte, puis se détend. Les contractions font dilater le col et poussent le bébé vers le passage d'expulsion. À la page 70 se trouve un tableau qui permet de reconnaître la différence entre le travail véritable et le faux travail.

Les contractions du travail véritable sont douloureuses, régulières et d'une durée approximative de 45 secondes à une minute.

Déclenchement du travail

La grossesse prolongée n'est que l'un des cas où l'on peut provoquer le travail. Par exemple, lorsque la membrane amniotique se rompt sans que le travail ne s'amorce, vous devrez prendre une décision : ou vous attendez que le travail commence spontanément, ou votre médecin le provoque. Les deux options peuvent être appropriées, selon la situation. La décision s'appuie sur différents facteurs tels le temps écoulé depuis la rupture des membranes, la maturation du col, le risque d'infection et le désir de la mère.

Il est également préférable de provoquer le travail quand la grossesse est à terme (40 semaines) ou même avant le terme lorsque, par exemple, la mère fait de l'hypertension non maîtrisée ou souffre de maladie comme le diabète, lorsque le bébé ne grossit plus ou, encore, pour toute raison d'ordre médical.

Normalement, les indications mentionnées plus haut sont les seules qui sont valables pour provoquer le travail. Si, toutefois, on devait le faire pour des raisons « sociales », on s'assurera au moins que la grossesse est à terme et la maturation du col complète.

Comment provoque-t-on le travail?

Il y a plusieurs façons courantes de le faire.

Décollement des membranes—La membrane de la cavité remplie de liquide amniotique où flotte le bébé touche la partie intérieure du col. Pour éviter que votre grossesse ne dépasse le terme, il est acceptable et de pratique courante pour votre médecin de dépouiller le col des membranes sans toutefois les rompre, dans le but de favoriser la maturation du col et éviter une grossesse prolongée. Votre médecin discute d'abord avec vous de l'intervention à pratiquer; puis, il insère un doigt à travers le col (comme par le trou d'un beigne) et décrit un cercle en glissant le doigt contre la paroi intérieure du col pour dégager les membranes qui y sont attachées. Avec votre consentement, cette intervention simple et courante est pratiquée au cabinet du médecin, habituellement après la 38e semaine de grossesse. À cette occasion, la plupart des femmes ressentent quelques crampes de courte durée accompagnées de pertes rosées.

Maturation du col—Normalement, avant le début du travail, le col commence à devenir mou, à élargir et à raccourcir. C'est ce qu'on appelle la maturation du col. Si le col ne semble pas avoir atteint spontanément sa maturation et qu'on doive provoquer le travail, le médecin tentera peut-être de le faire « mûrir ». Pour ce faire, il place une gelée ou un comprimé contenant des hormones (prostaglandine E2) à l'intérieur du col utérin ou dans le vagin. Il existe aussi une autre méthode qui consiste à insérer, au centre du col, un tube de caoutchouc muni d'un ballonnet à son extrémité. On gonfle alors le ballonnet qui est à l'intérieur du col et, quelquefois, la maturation a lieu. Il est très important que le col ait atteint sa maturation et qu'il soit mou avant qu'on commence à provoquer le travail.

Rupture artificielle des membranes—Lorsque les membranes amniotiques ne se sont pas rompues, il faut quelquefois les rompre artificiellement, intervention simple et presque indolore. Dans la plupart des cas, le travail s'amorce au cours des 12 heures suivantes. Parfois, même si le travail a commencé spontanément, on a recours à cette intervention pour accélérer les choses.

Contractions provoquées—Le corps produit naturellement une hormone appelée oxytocine qui déclenche les contractions de l'utérus. Les scientifiques ont développé des médicaments qui sont identiques à l'hormone produite par le corps humain. Ces médicaments synthétiques qui déclenchent les contractions sont administrés par voie intraveineuse. On n'a qu'à augmenter la dose pour rapprocher et intensifier les contractions.

Consignes à suivre lorsque le travail commence :

Lorsque le travail commmence, je dois téléphoner au numéro :

_____

_____

À ce numéro, je vais joindre :

_____

_____

Je dois immédiatement me rendre à l'hôpital quand :

_____

_____

Instructions à suivre lorsque le travail est commencé :

_____

_____

_____

Conseils utiles pour l'accompagnant du travail

Sachez vous adapter à la situation; si la mère garde le silence, faites de même.

Pendant les contractions, certaines femmes n'aiment pas qu'on les touche; d'autres ont besoin du contact physique.

La mère peut avoir besoin de beaucoup de paroles encourageantes ou bien presque pas.

Si, à un moment du travail, vous avez pris une initiative qui n'a donné aucun résultat, essayez un peu plus tard; elle sera peut-être plus fructueuse.

Adoptez une attitude positive; ne critiquez jamais ce qu'elle dit ou ce qu'elle désire.

Lorsque les contractions sont très fortes, certaines femmes vont dire des choses qu'elles ne pensent pas vraiment, mais qui peuvent vous blesser. Ne vous en faites pas trop : c'est la douleur qui parle.

Choisissez une personne qui communique les nouvelles à la famille. Elle sera alors la seule personne qui téléphonera à l'hôpital pour avoir des nouvelles.

Si le travail se prolonge, allez manger quelque chose, il ne faudrait pas flancher à l'accouchement.

Un soutien pendant le travail

Pendant leur travail, la plupart des femmes se sentent rassurées par la présence d'un proche. Vous pouvez choisir qui vous voulez comme accompagnant du travail, entre autres le père de l'enfant, une personne qui vous est chère, un membre de la famille. L'accompagnant vous apporte le soutien émotionnel dont vous avez besoin et peut, le cas échéant, masser votre dos, vous aider à vous rappeler les respirations apprises dans les classes prénatales et vous tenir la main pendant les moments difficiles. Il y a, dans certains hôpitaux, des bénévoles qui aident les mères pendant le travail.

Le rôle de l'accompagnant

Les études démontrent que les femmes qui sont accompagnées, dans leur travail, par un proche qui les soutient bénéficient de plusieurs avantages.

En tant qu'accompagnant du travail, surtout si c'est la première fois que vous accompagnez une femme en travail, vous vous demandez peut-être de quelle façon vous pouvez l'aider pendant cette période. Certains accompagnants ont peur d'avoir mal au cœur ou de ne pouvoir donner tout le soutien nécessaire. Il y a cependant beaucoup de choses que vous pouvez faire pour aider votre partenaire pendant son travail.

Avant que le travail ne commence, encouragez-la à se reposer souvent et assumez sa part des tâches du nettoyage, du lavage et de la cuisine.

Si vous avez participé à l'élaboration du plan de naissance, vous savez quel genre d'accouchement elle désire. Elle peut vous demander d'être son porte-parole auprès du personnel pendant le travail.

Il est utile de rester aussi calme que possible et de bouger lentement, sans bruit et posément lorsque vous êtes en sa compagnie. Encouragez-la et faites-lui des compliments. Aidez-la à se détendre entre les contractions. Au cours des périodes pendant lesquelles vous l'aidez avec les respirations, laissez-la fixer son propre rythme (quelquefois, son corps lui indiquera le rythme qui convient le mieux, et ce ne sera pas nécessairement celui que vous avez appris et exercé).

Si elle semble « paniquer », restez tout près d'elle, parlez-lui calmement pendant la contraction, regardez-la dans les yeux et essayez de la préparer à affronter la prochaine.

Montrez de la souplesse par rapport au plan de naissance et ne vous en faites pas si les choses prennent une tournure différente de celle que vous aviez prévue. Soyez à l'écoute des désirs de votre partenaire; elle peut changer d'idée. N'oubliez pas de prendre soin de vous-même; l'accouchement est un processus long et exigeant. Prenez le temps de manger, de boire et de vous reposer.

Rendez-vous immédiatement à l'hôpital lorsque :

la membrane amniotique se rompt et le liquide amniotique jaillit ou s'écoule sans interruption;

les contractions sont régulières et espacées de 5 minutes (et l'hôpital est situé à moins de 30 minutes de distance);

les contractions sont régulières et espacées de 10 minutes (si l'hôpital est situé à plus de 30 minutes de distance);

en cas de doute, téléphonez au service de maternité de votre hôpital.

L'infirmière d'obstétrique et la sage-femme

Si un médecin assure le suivi de votre grossesse et que vous prévoyez accoucher à l'hôpital, vous rencontrerez l'infirmière d'obstétrique au moment où vous vous y présenterez. Habituellement, les professionnelles du travail et de l'accouchement sont des infirmières diplômées dont quelques-unes possèdent des compétences de sage-femme. Quand la chose est possible, la même infirmière vous accompagne pendant le travail et l'accouchement. Dans certaines provinces, des sages-femmes diplômées assurent tous les soins de la grossesse, du travail et de l'accouchement.

Les études démontrent qu'il y a différents avantages à tirer du fait qu'une infirmière ou qu'une sage-femme s'occupe particulièrement de vos soins. Ces partenaires s'emploient à vous aider à maîtriser les techniques qui facilitent l'accouchement. D'expérience, elles savent reconnaître les cas où tout se passe bien et savent identifier les cas où quelque chose ne va pas.

Les stades du travail

Le travail regroupe quatre stades. Le premier stade s'amorce lorsque les contractions commencent et deviennent régulières et se termine lorsque le col est complètement dilaté (10 cm). Le deuxième stade commence quand le col est dilaté et se termine avec la naissance du bébé. Le troisième stade du travail commence après la naissance du bébé et se termine lors de la délivrance du placenta. Le quatrième stade se termine environ deux heures après l'accouchement. Dans le cas de femmes qui accouchent pour la première fois, la durée moyenne du travail est de 12 à 14 heures; le travail sera habituellement de plus courte durée lors des accouchements subséquents. Chaque travail est unique et personne ne peut en prédire le déroulement. Les chiffres avancés plus haut sont des moyennes; la durée de votre travail peut être plus courte ou plus longue.

La surveillance du bébé pendant le travail

Les études ont démontré que, lorsque la grossesse se déroule sans problème, comme c'est le cas pour la plupart des grossesses, la meilleure méthode pour surveiller le bébé pendant le travail est l'écoute du cœur du bébé au moyen d'un appareil placé sur l'abdomen maternel. Idéalement, l'infirmière vérifie systématiquement et souvent la fréquence cardiaque fœtale au moyen d'un stéthoscope ou d'un Doppler portatif, appareil qui capte les battements de cœur du bébé.

Durant le premier stade du travail, de 2 à 4 fois l'heure, et après une contraction, on écoute le cœur du bébé pendant une minute complète. Lorsque le deuxième stade est entamé et que vous commencez à pousser, l'infirmière vérifie le cœur fœtal à toutes les 5 minutes.

Quelquefois, on utilise un appareil qui mesure et enregistre le rythme cardiaque fœtal ainsi que la durée et l'intensité des contractions. L'appareil de surveillance électronique externe fournit l'information sous forme de tracé continu que peuvent consulter les personnes qui vous soignent. Vous êtes rattachée à l'appareil par des ceintures électroniques placées autour de votre abdomen.

Quand votre grossesse est à risque ou qu'un problème survient au cours du travail, l'équipe qui vous soigne devra pouvoir exercer une surveillance constante pour savoir comment se porte le bébé, surtout pendant les contractions. On devra utiliser cette méthode de surveillance si le rythme cardiaque fœtal est trop lent ou trop rapide ou lorsque le bébé qui n'est pas encore né a expulsé du méconium (ses premières selles) dans l'utérus.

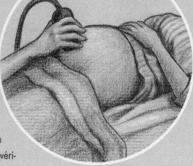

La surveillance interne est effectuée au moyen d'une électrode insérée par l'ouverture du col et fixée, de préférence, sur la tête du bébé ou sur toute partie qu'on peut atteindre. L'appareil capte et enregistre le rythme cardiaque fœtal. On devra parfois effectuer un prélèvement de sang au niveau du cuir chevelu du bébé afin de vérifier les niveaux d'oxygène et du Ph sanguin.

Lorsque le travail ne progresse pas

Il arrive assez souvent que le travail ne progresse pas suffisamment. La durée du travail varie selon le nombre de bébés que vous avez déjà eus. Par exemple, dans le cas d'un premier bébé, le cheminement, à partir du début du travail actif jusqu'à l'accouchement, dure, en moyenne, 12 heures. Il se peut qu'on vous administre une perfusion intraveineuse d'oxytocine (Syntocinon®), une hormone synthétique qui augmente l'efficacité des contractions, surtout lorsque la dilatation du col est très lente et que les contractions ne sont pas assez fréquentes ni assez fortes. Grâce à plusieurs importantes études, on a démontré qu'une gestion « active » du travail contribue à réduire le taux de césariennes. Elle empêche également que le travail ne se prolonge indûment.

Le premier stade du travail

Le premier stade du travail est divisé en trois phases : la phase latente, la phase active et la phase transitoire. C'est habituellement le stade le plus long du travail.

Au début de la grossesse, le col est un passage aux parois épaisses, d'une longueur d'environ 2,5 cm (un po). Au cours des dernières semaines de la grossesse, sous l'effet d'hormones, le col devient mou. C'est ce qu'on appelle la maturation du col.

Lorsque s'amorce le travail, le col qui a « mûri » commence, sous l'effet des contractions, à se dilater, à s'ouvrir et à s'effacer ou à mincir. À la fin du premier stade du travail, l'ouverture du col mesure 10 cm (4 po), et les parois sont très minces. À ce stade, l'utérus, le col et le vagin ne forment plus qu'un long passage continu par lequel le bébé devra sortir.

Premier stade—du début à 0,3 cm

Au tout début du premier stade du travail, vous pouvez vous demander s'il s'agit bien de travail. Si vous en doutez, présentez-vous au service de maternité de l'hôpital pour qu'on vérifie.

Le tableau qui figure à la page 70 peut vous aider à distinguer le travail véritable du faux travail. Au début, les contractions sont espacées de 15 à 20 minutes et durent environ de 30 à 45 secondes. Elles vont progressivement se rapprocher jusqu'à ce qu'elles soient espacées de moins de 5 minutes. C'est au cours des premières phases que le col change et devient plus mou. Vous aurez peut-être des pertes vaginales épaisses, gélatineuses et tachées de sang. La « poche des eaux » peut rompre soudainement, c'est-à-dire que les membranes qui contiennent le liquide amniotique peuvent rompre à n'importe quel moment du travail.

Comment vivre le début du travail

Vous pouvez :	L'accompagnant peut :
être à l'écoute de votre corps, vous adapter à la situation;	s'assurer que le plein d'essence est fait et la voiture, en bon état;
pendant la nuit, essayer de dormir;	placer votre valise dans la voiture;
pendant la journée, alterner les périodes d'activité et de repos;	vous aider à vous détendre, offrir de vous masser le dos ou les pieds;
prendre une douche ou un bain chaud (à moins que la membrane amniotique soit rompue ou laisse échapper du liquide);	si nécessaire, informer les intéressés que le travail a commencé;
vous promener avec la personne qui vous accompagne, regarder un film;	calculer le temps écoulé entre deux contractions;
utiliser des techniques de relaxation;	se montrer calme et rassurant;
respirer lentement et longuement pendant les contractions;	vous préparer une collation, vous offrir souvent à boire.
maintenir votre énergie en mangeant et en buvant un peu.	

Premier stade—phase active de 3 à 8 cm

Au cours de la phase active du premier stade du travail, vous sentirez que les contractions deviennent plus fortes. Elles reviennent toutes les 3 à 5 minutes et durent environ 45 secondes. À chaque contraction, le col se dilate et s'efface un peu plus. L'ouverture du col devrait mesurer 8 cm à la fin de cette phase. Vous serez sans doute fatiguée et préoccupée et il sera alors d'autant plus important de vous détendre autant que possible entre les contractions. Vous aurez peut-être mal au dos en raison de la position de la tête du bébé dans le bassin.

Premier stade—phase transitoire de 8 à 10 cm

C'est maintenant la fin du parcours. Les contractions reviennent toutes les 2 à 3 minutes et durent environ de 60 à 90 secondes. Elles vont aboutir à la dilatation complète du col, soit à 10 cm. Chez bon nombre de femmes, cependant, le travail ralentit à ce stade et la dilatation des deux derniers centimètres peut être plus longue. En même temps, la tête du bébé descend lentement dans le bassin.

Comment vivre la phase active du premier stade

Vous pouvez :

vous détendre, vous conformer à l'évolution de vos contractions ;

pratiquer la respiration accélérée ou légère ou bien la respiration lente qui favorise la détente;

changer souvent de position; éviter de vous coucher sur le dos; l'activité accélère le travail;

vous attendre à ce que les contractions deviennent plus fortes après la rupture des membranes;

au besoin, réclamer de l'aide pour soulager la douleur;

utiliser les techniques de visualisation pour vous aider à vous concentrer;

prendre un bain chaud pour vous détendre;

au moyen d'un ballon, opposer une contre-pression sur le périnée, pour aider à élargir le bassin;

demander de l'aide, faire connaître vos besoins;

vider votre vessie au besoin.

L'accompagnant peut :

masser vos muscles tendus;

rester avec vous;

vous aider à pratiquer vos respirations, en adoptant un mode de respiration qui convient à votre rythme;

vous inciter et vous aider à changer souvent de position, vous fournir les oreillers qui vous serviront d'appui, se promener avec vous, vous aider à vous redresser si vous le désirez;

appliquer une contre-pression dans votre dos lorsque vous avez une contraction et vous masser le dos entre les contractions;

être votre porte-parole auprès du personnel pour vous permettre de vous concentrer sur le travail;

vous encourager en vous félicitant du travail accompli, vous aider à supporter les contractions, une à la fois tout en vous préparant à celle qui s'en vient;

appuyer vos choix, ne jamais critiquer, s'assurer que le climat est paisible dans la chambre, se montrer calme et rassurant.

Comment vivre la phase transitoire vers le deuxième stade

Vous pouvez :

rester active aussi longtemps qu'il faut pour vous sentir à l'aise;

lorsque le col n'a pas atteint une dilatation de 10 cm, éviter de pousser en adoptant une respiration haletante;

supporter une contraction à la fois, percevoir la douleur comme étant plus fréquente et non plus forte;

si c'est possible, prendre une douche ou un bain;

imaginer que votre corps s'ouvre comme une fleur pour donner naissance au bébé;

laver votre figure et vos mains avec une serviette fraîche, changer de robe de nuit;

pour que votre bouche ne s'assèche pas, sucer des glaçons ou prendre de petites gorgées d'eau;

avertir votre accompagnant ou l'infirmière si vous sentez le besoin de pousser.

Votre accompagnant peut :

se montrer solidaire de votre choix de position;

vous aider avec les respirations. Bien vous regarder dans les yeux pour garder le contact afin que vous sentiez que vous avez la maîtrise de l'événement;

vous rappeler que le travail tire à sa fin et que la naissance va bientôt se produire, se montrer calme, rassurant et positif;

si vous le désirez, masser vos muscles tendus, surtout le bas du dos où la tête du bébé exerce une pression plus forte;

vous aider à visualiser et à vous détendre;

vous réconforter en caressant, par exemple, votre visage, vos cheveux;

vous offrir des glaçons, appliquer des serviettes fraîches sur votre front;

lorsque vous sentez le besoin de pousser, vous guider dans un rythme de respiration de transition (halètement) pour éviter que vous poussiez avant l'arrivée de l'infirmière.

Techniques pour faciliter le travail sans l'aide de médicaments

Quand on est confiante et détendue, le travail est moins pénible que lorsqu'on est craintive et tendue. Bon nombre des techniques que vous employez avec votre équipe soignante ont pour but de vous aider à vous détendre et à conserver votre maîtrise tant physique que mentale.

Au cours des semaines et des mois qui précèdent le travail, vous avez appris et répété différentes techniques avec votre accompagnant. Par contre, ce qui convient à certaines ne vous conviendra peut-être pas.

Techniques de respiration

Un certain nombre de techniques spécifiques de respiration peuvent vous faciliter la tâche et vous procurer un sentiment de maîtrise tant physique que mentale. Il y aura des moments où vous écouterez votre corps et respirerez comme bon vous semble. Néanmoins, les techniques suivantes peuvent vous être utiles.

1 La respiration lente

Le début du travail est habituellement le meilleur moment d'utiliser la technique de respiration lente et profonde qui déplace le point de concentration des contractions vers la respiration. Inspirez d'abord profondément par la bouche ou le nez. En pinçant les lèvres, expirez lentement. Le rythme de la respiration devrait s'établir naturellement, un compte de 3 ou 4 pour inspirer et de 3 ou 4 pour expirer. Pour un certain nombre de femmes qui l'adoptent pour la durée du travail, ce mode de respiration convient tout à fait.

2 La respiration accélérée (légère)

Ce mode de respiration convient à la phase active du travail au moment où les contractions viennent plus rapidement et sont de plus en plus fortes. Lorsque la contraction se fait sentir, on pratique la respiration lente. À mesure que la contraction s'intensifie, la respiration devient plus rapide. Au plus fort de la contraction, les inspirations sont légères et les expirations rapides, ce qui rappelle le halètement d'un chien. Lorsque la contraction diminue, la respiration ralentit et, lorsqu'elle prend fin, on termine par une profonde respiration de détente.

3 *La respiration de transition*

Ce mode de respiration convient mieux à la phase transitoire au moment où le travail est le plus intense et que la respiration lente est peut-être devenue impossible à utiliser. On donne parfois le nom de halètement à la respiration de transition; elle devient particulièrement utile lorsqu'il vous faut maîtriser votre envie de pousser parce que le col n'est pas complètement dilaté. Elle se pratique comme suit : inspirez profondément, puis faites l'expiration en deux courts halètements et terminez en expulsant l'air lentement de vos poumons.

Positions pour le travail

Les positions que vous utilisez peuvent quelquefois faciliter le travail. De nombreuses études ont porté sur les positions qui peuvent être bénéfiques tant pour vous que pour votre bébé. C'est votre droit d'adopter, pour votre travail, toute position qui est confortable et de changer de position aussi souvent que vous le désirez. Les oreillers sont utiles pour soutenir vos bras, vos jambes et votre ventre. Il n'est pas recommandé de vous coucher sur le dos pendant le travail, car le poids de l'utérus risquerait de coincer un gros vaisseau sanguin contre la colonne vertébrale, diminuant ainsi l'apport de sang au bébé.

1 *La position assise*

Il y a des avantages tant pour vous que pour votre bébé à rester assise, bien droite ou le dos légèrement incliné vers l'arrière. Les études ont démontré qu'il est possible que cette position favorise la contraction de l'utérus et, par le fait même, raccourcisse la durée du deuxième stade du travail. De plus, la position favorise la descente du bébé dans le passage d'expulsion. D'autres études ont démontré que les bébés nés de mères qui se tiennent assises pendant l'accouchement ont des taux d'oxygène supérieurs dans le sang. Les mères déclarent préférer cette position qui leur permet de mieux voir le bébé et d'établir des liens avec lui dès sa naissance. Dans la plupart des hôpitaux, on trouve des lits de naissance qui favorisent cette position. C'est la position la plus fréquemment utilisée pour l'accouchement.

2 *La position étendue sur le côté*

Vous prendrez sans doute cette position à un moment ou à un autre pendant le travail, mais vous ne savez peut-être pas que vous pouvez accoucher étendue sur le côté. On favorisera cette position pour le travail lorsque la mère s'y sent plus à l'aise. D'un point de vue strictement médical, la position permet au médecin d'accoucher, de façon sécuritaire, des femmes qui souffrent de troubles cardiaques, de problème d'articulation de la hanche ou de veines variqueuses aux jambes. Il faudra alors que votre accompagnant soutienne la jambe supérieure pendant l'accouchement.

3. La position accroupie—pour l'accouchement seulement

Cette position offre deux avantages. D'abord, la position accroupie facilite les efforts expulsifs (les poussées) en permettant à l'utérus de basculer vers l'avant par la force de gravité. Le bébé descend mieux dans le passage d'expulsion. De plus, les études ont démontré que l'élargissement du bassin, favorisé par la position accroupie, donne au bébé plus d'espace pour descendre et sortir. En Amérique du Nord, les femmes trouvent parfois cette position inconfortable par manque d'habitude. Dans certains hôpitaux, les lits de naissance sont munis de barreaux pour aider les femmes qui choisissent d'accoucher dans cette position.

4. En appui sur les mains et les genoux,—habituellement pour l'accouchement ou la fin du premier stade

Cette position est un choix valable pour certaines femmes. Bien que peu d'études aient été menées sur le sujet, un certain nombre d'experts croient que cette position favorise la rotation du bébé dans une position favorable pour l'accouchement lorsque cela ne s'est pas encore produit. Dans cette position, un certain nombre de femmes font un mouvement de balancement de l'avant à l'arrière pendant les contractions pour atténuer la douleur au dos. C'est une position qui mérite d'être essayée.

L'hydrothérapie

Mis à part le réconfort qu'elle procure, on possède de bonnes preuves que l'hydrothérapie (utilisation de douches, de bains chauds, et de bains tourbillons) est bénéfique pour la femme en travail. Bien que l'hydrothérapie n'abrège pas la période de travail, elle semble réduire le stress chez la femme. La réduction du stress favorise chez elle la présence accrue d'endorphines. Les endorphines sont des hormones qui produisent une sensation de bien-être. La réduction du stress augmente également les taux de l'hormone appelée oxytocine qui favorise la régularité et l'intensité des contractions.

Demandez l'aide de l'infirmière avant de commencer la thérapie. L'eau ne doit pas être trop chaude, ce qui aurait pour effet de dilater les vaisseaux sanguins à fleur de peau et d'augmenter le risque d'une baisse de tension artérielle et d'étourdissements.

Lorsque vous passez de longs moments dans la baignoire, il est bon de sucer des glaçons de façon à ne pas vous déshydrater. Il ne faut pas non plus négliger de vider votre vessie, tout en prenant garde de ne pas glisser en entrant et en sortant de la baignoire. La surveillance de la fréquence cardiaque fœtale doit cependant être effectuée par l'infirmière, de temps à autre. Vous pourrez profiter des séances d'hydrothérapie pour essayer, avec votre accompagnant, les autres méthodes qui facilitent le travail, par exemple, le toucher, le massage, la visualisation et les respirations appropriées.

En général, on ne pratique l'hydrothérapie qu'au cours du premier stade du travail.

La neurostimulation transcutanée

La neurostimulation transcutanée est un moyen de maîtriser la douleur de façon sécuritaire, sans médicaments ni interventions. Elle peut soulager la douleur en transmettant, au moyen d'électrodes placées sur la peau du ventre ou du dos, de faibles impulsions électriques aux fibres nerveuses souscutanées. On croit que la neurostimulation transcutanée fonctionne de deux façons. En premier lieu, les impulsions électriques empêchent le signal de douleur de se rendre au cerveau. Les contractions font toujours mal, mais le message ne se rend pas. En second lieu, on croit que la neurostimulation stimule votre corps à relâcher une plus grande quantité d'endorphines, les hormones de bien-être.

Si la méthode vous intéresse, renseignez-vous auprès du service de physiothérapie de l'hôpital qui, en général, s'occupe des formalités. Il vaut mieux, cependant, entrer en communication avant le début du travail ou en discuter avec votre médecin au cours d'une consultation prénatale.

L'expression vocale

Vous pouvez craindre de vous mettre à crier pendant le travail. Certaines femmes le font, d'autres pas. Les infirmières et les médecins ont l'habitude de voir et d'entendre les femmes utiliser ce moyen pour diminuer le stress éprouvé pendant le travail. Nombre de femmes s'expriment avec leur voix pendant le travail; d'autres chantent lentement, geignent, balancent la tête ou le corps d'un côté à l'autre ou pleurent. Ce sont autant de façons normales de vivre le travail et vous ne devez jamais vous sentir mal à l'aise de les utiliser.

L'usage de médicaments pour soulager la douleur

Les anesthésiques et les médicaments antidouleur sont les deux principales formes de traitement médical pour soulager la douleur pendant le travail. Les médicaments antidouleur sont aussi appelés analgésiques. Ils ont pour effet d'engourdir la sensation de douleur sans toutefois l'éliminer. D'autre part, les médicaments qui « gèlent », appelés agents anesthésiques, occasionnent l'insensibilisation de parties spécifiques du corps. Il est bon de discuter d'avance des médicaments contre la douleur que vous voulez inclure dans votre plan de naissance.

Les médicaments antidouleur (analgésiques)

La plupart des médicaments antidouleur sont de puissants narcotiques. On peut, par exemple, vous offrir de la mépéridine (Demerol®) ou de la morphine. Ils sont habituellement administrés par injection dans le muscle de la hanche ou par perfusion intraveineuse. Ils réduisent la sensation de douleur et vous rendent somnolente, vous permettant ainsi de vous reposer entre les contractions. Cependant, ils peuvent se retrouver dans le placenta et rendre le bébé également somnolent.

Les narcotiques sont ordinairement administrés pendant les premières phases et pendant la phase active du travail afin que leur effet soit presque totalement éliminé de l'organisme avant la naissance du bébé. Ainsi, le bébé qui naît est éveillé et actif. Cependant, si le bébé est somnolent à la naissance parce qu'on a dû vous faire une injection d'analgésique, le médecin ou l'infirmière peut lui administrer un antidote sécuritaire appelé Narcan® qui le réveillera rapidement.

L'anesthésie péridurale

Le bloc péridural est un mode d'anesthésie utilisé pour créer un blocage de la douleur du travail et de l'accouchement. Une aiguille est insérée dans un petit espace entre les vertèbres; le médicament est injecté dans l'espace où se trouvent aussi des terminaisons nerveuses. Le médicament engourdit les nerfs situés dans cette région, empêchant ainsi les messages de douleur de se rendre au cerveau.

La première fois que le médecin administre le médicament, il laisse en place, entre les vertèbres, un petit tube de plastique (cathéter) dont l'extrémité est soigneusement fixée, à l'extérieur, avec du ruban adhésif. Ainsi, si cela devient nécessaire, votre médecin pourra de nouveau administrer le médicament sans avoir à insérer l'aiguille une autre fois.

Habituellement, le médecin raccorde le cathéter à une pompe à perfusion qui administre le médicament goutte à goutte. Si vous prévoyez utiliser cette forme d'anesthésie, il est préférable d'en discuter avec votre médecin avant le début du travail.

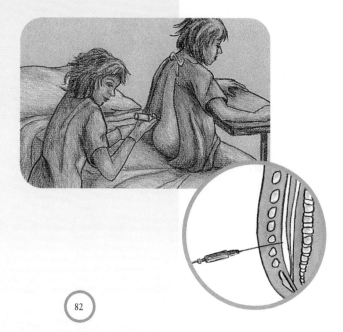

Le deuxième stade du travail

Le col est maintenant ouvert de 10 cm ou complètement dilaté et le bébé est prêt à être poussé tout le long du passage d'expulsion. Pendant ce deuxième stade du travail, les contractions sont espacées de 2 à 5 minutes et elles durent environ 45 à 90 secondes. L'intervalle permet à votre corps de récupérer entre les contractions.

Les poussées d'expulsion

À partir du moment où le bébé est descendu à un certain niveau du bassin, la plupart des femmes ressentent le besoin de pousser. C'est une façon de soulager le « stress » du travail. Il semble qu'une poussée d'expulsion, fournie en même temps que la contraction, libère une énergie qui vient du plus profond du corps et du cerveau féminins. Vous vous sentirez sans doute plus forte, maîtresse de la situation et en possession de vos moyens lorsque vous commencerez à pousser.

Un certain nombre de femmes, surtout celles qui ont reçu l'anesthésie péridurale, ne ressentent pas le besoin de pousser et auront besoin d'aide supplémentaire et d'encouragements pour expulser le bébé.

Quand il faut s'abstenir de pousser

Lorsque le col n'est pas tout à fait dilaté (de 8 à 9 cm), ou encore lorsque le bébé n'a pas pris une position favorable pour l'expulsion, on peut vous demander de ne pas pousser. L'envie de pousser est quelquefois si grande qu'il est impossible d'y résister. On peut alors vous demander, avec l'aide de l'infirmière, de replier les genoux vers la poitrine et de respirer en haletant jusqu'à ce que le col soit complètement dilaté.

Quand vous ne ressentez plus le besoin de pousser

Pour un certain nombre de femmes, il se produit un moment d'accalmie au cours duquel les contractions cessent ou sont très légères et le besoin de pousser n'est plus ressenti. Certains médecins les appellent communément « pauses contractiles ».

Si votre col est complètement dilaté, mais que vous ne ressentez pas encore le besoin de pousser, détendez-vous et reposez-vous un moment. Le besoin de pousser viendra bien assez vite. Parfois, avec l'anesthésie péridurale, la femme ne peut plus pousser efficacement ou n'en ressent pas le besoin. Le médecin ou l'infirmière vous prodiguent alors de l'aide et des conseils.

Le rythme naturel des poussées d'expulsion

Il n'y a pas de bonne ou de mauvaise façon de pousser. Bien que la pratique courante veut que l'on inspire profondément, ensuite, qu'on retienne la respiration tout en donnant une longue et puissante poussée continue, des études démontrent qu'après tout, ce n'est peut-être pas la meilleure façon de faire.

Lorsque les femmes poussent naturellement (sans instructions), elles ont tendance à fournir de trois à cinq courtes poussées pendant chaque contraction. Au fur à mesure que le deuxième stade progresse, le nombre de poussées augmente. De cette façon naturelle, la femme inspire largement plusieurs fois pendant chaque poussée et expire lentement en vidant complètement ses poumons. Les études indiquent que cette façon de faire permet au bébé de recevoir plus d'oxygène pendant le deuxième stade du travail. Avec cette méthode, le travail prend parfois quelques minutes de plus. Cela donne à votre périnée plus de temps pour s'étirer (réduisant ainsi les risques de déchirure et d'un recours à l'épisiotomie). Il est préférable, pour le bébé, que sa descente le long du passage d'expulsion soit lente et graduelle.

L'épisiotomie

Dans de nombreux cas, la naissance se produit sans entraîner de déchirure. La personne qui pratique l'accouchement peut tenter de masser le périnée pour en favoriser l'étirement. Après l'accouchement, on devra effectuer des réparations mineures du périnée chez environ 70 p. cent des femmes dont c'est le premier bébé. Une fois la réparation terminée, le médecin administrera peut-être une anesthésie locale pour le confort de l'accouchée. Les études ont démontré que ces déchirures mineures guérissent plus rapidement et sont moins douloureuses qu'une épisiotomie.

Dans certains cas, on doit pratiquer une épisiotomie, par exemple, lorsqu'il faut plus d'espace pour accoucher la tête et les épaules, lorsqu'une importante déchirure est imminente pendant l'accouchement ou lorsqu'on doit faire vite pour le bien-être du bébé.

L'épisiotomie est une incision (centrale ou médio-latérale) mesurant de 2,5 à 5 cm (de 1 à 2 po) pratiquée au niveau du périnée, de la base du vagin vers le rectum ou vers un côté. Avant de pratiquer l'incision, le médecin administre une anesthésie locale.

Les épisiotomies ne doivent pas être pratiquées systématiquement, mais plutôt en cas de besoin et selon la situation qui prévaut au moment de l'accouchement.

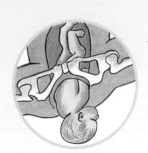

*Le siège complet
(fesses et pieds)*

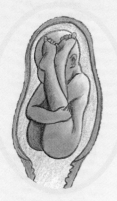

*La présentation par le
siège (mode des fesses)*

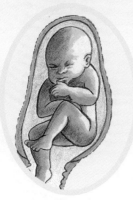

*La présentation par le
siège (mode des pieds)*

Complications pendant le travail et l'accouchement

La présentation par le siège

Le plus souvent, l'enfant se présente la tête en bas, engagée dans le bassin. On appelle « présentation » la partie de l'enfant qui s'engage dans le passage d'expulsion. Normalement, c'est la tête qui se présente première. Lorsque la tête est en haut et les fesses en bas, c'est la présentation par le siège, mode des fesses. Quelquefois, le bébé présente un pied ou les deux avant les fesses, c'est la présentation par le siège, mode des pieds.

Lorsque la grossesse est à terme et qu'on soupçonne que le bébé se présente par le siège, on doit déterminer, par échographie, la position, le poids et l'état de santé du bébé. Il sera préférable de pratiquer une césarienne dans les cas suivants : le poids du bébé est supérieur à 4 000 g (8 1/2 lb); la tête du bébé est trop fléchie vers l'arrière (hyperextension); le cordon ombilical est mal placé; il n'y a presque plus de liquide amniotique ou lorsqu'il s'agit d'une présentation par les pieds.

Par ailleurs, on peut accoucher en toute sécurité et par voie naturelle, les bébés qui se présentent par le siège, surtout quand il s'agit d'une présentation par le siège, mode des fesses. On surveillera habituellement ces bébés par monitorage interne et externe. Pour le soulagement de la douleur, les choix sont les mêmes que lors d'une présentation tête première.

Interventions médicales : accouchement par application des forceps ou de la ventouse obstétricale

Parfois, il faut aider le bébé à sortir du passage d'expulsion. Le médecin peut décider, pour l'accouchement, d'avoir recours aux forceps ou à la ventouse obstétricale.

On a surtout recours à l'intervention médicale quand, après un deuxième stade prolongé, le bébé est suffisamment descendu pour être accouché par le vagin, que la mère est trop fatiguée pour pousser et que le bébé est suffisamment descendu pour être accouché, avec un peu d'aide, par les voies naturelles. On y aura aussi recours lorsque la fréquence cardiaque du bébé a diminué et qu'on craint qu'il ne soit en difficulté.

Les deux modes d'intervention, soit les forceps et la ventouse, sont couramment utilisés, et aussi sécuritaires et efficaces l'un que l'autre. Le forceps est un instrument à deux branches minces et incurvées conçu pour embrasser les deux côtés de la tête du bébé à l'intérieur du passage d'expulsion. Lorsqu'il est en place, le médecin peut, avec chaque contraction, tirer doucement le bébé vers le bas et la sortie. Il en existe plusieurs modèles.

Il serait peut-être plus opportun d'employer les mots accouchement à l'aide de ventouse, plutôt que de parler d'accouchement par succion. Il s'agit en fait d'une ventouse de plastique maintenue par succion sur la tête du bébé. La ventouse est reliée à un manche qui permet au médecin de tirer doucement le bébé vers le bas et la sortie.

Quand le bébé se présente par le siège, on peut, de façon sécuritaire, pratiquer un accouchement vaginal si :

le bébé pèse moins de 4 000 g;

les fesses se présentent premières;
(présentation par le siège - mode des fesses, siège complet);

le bassin de la mère est de dimension suffisante pour permettre le passage du bébé;

le volume de liquide amniotique est normal;

le cordon ombilical est bien placé;

l'angle de la tête du bébé est normal;

la mère se porte bien.

L'accouchement par césarienne

L'accouchement par césarienne ou la césarienne tout court est le terme médical qui désigne l'intervention au cours de laquelle le bébé est extrait de l'utérus par chirurgie. Au Canada, 15 p. cent des naissances ont lieu par césarienne. Parfois, pour des raisons médicales, la césarienne est planifiée et pratiquée avant même le début du travail. D'autres fois, lorsque des complications surviennent durant le travail, pour la mère ou pour l'enfant, elle est pratiquée pendant que le travail est en cours.

La cause la plus fréquente d'une césarienne est la mauvaise progression du travail, c'est-à-dire, qu'en dépit de contractions fortes et régulières, le col a cessé de se dilater, et ce, depuis plusieurs heures; ou bien encore que le bébé ne s'engage pas dans le bassin pour effectuer sa descente. Dans ces cas, et après avoir vainement tenté différentes interventions (voir page 84), il faut pratiquer une césarienne.

La deuxième cause en importance qui motive une césarienne, c'est l'inquiétude quant au bien-être du bébé. L'inquiétude est habituellement soulevée par des changements précis du rythme cardiaque fœtal pendant le travail, confirmés si possible par un prélèvement de sang au niveau du cuir chevelu du bébé. Si les deux indicateurs laissent soupçonner que le bébé supporte mal le travail et que l'accouchement n'est pas imminent, on envisagera la césarienne.

La troisième raison qui motive une césarienne vise les cas où la mère a déjà accouché par césarienne. On disait autrefois qu'une première césarienne en entraînait d'autres. Toutefois, ce n'est plus nécessairement le cas. En fait, entre 60 et 80 p. cent des femmes qui ont déjà subi une césarienne peuvent accoucher par les voies naturelles.

Si tel est votre cas, il est important de savoir que vous avez de fortes possibilités d'accoucher normalement. Des études ont par ailleurs indiqué que bon nombre de femmes ne désirent pas de nouveau entreprendre un travail long et pénible qui pourrait se solder par une autre césarienne. Parlez-en à votre médecin. Vous avez besoin d'être assurée qu'on soulagera votre douleur de façon adéquate.

Parmi les indications moins fréquentes exigeant le recours à la césarienne, on retrouve les cas de présentations particulières (page 84), l'hémorragie causée par un décollement du placenta ou les cas où le placenta recouvre le col. Parfois, c'est la santé de la mère qui exige que l'on pratique une césarienne, par exemple, lorsqu'elle est atteinte de maladie grave comme la toxémie ou un cas grave de diabète. Lorsque la mère est atteinte d'herpès contagieux, on pratiquera également une césarienne pour éviter que le bébé ne soit infecté pendant l'accouchement.

La naissance d'un enfant est une expérience qui comporte des éléments imprévisibles sur lesquels personne ne peut exercer de contrôle parfait en dépit de tout le soin qu'on a mis pour s'y préparer. Que vous donniez naissance par les voies naturelles ou par césarienne, il reste que le but de la grossesse est que vous accouchiez d'un enfant bien portant. La fin est ici bien plus importante que les moyens. Bien qu'il ne soit pas toujours possible de prévoir la césarienne, il faut tout de même savoir qu'une telle chose pourrait vous arriver. Il serait peut-être bon d'inclure dans votre plan de naissance un paragraphe portant sur vos choix au cas où vous deviez accoucher par césarienne.

Bon nombre de parents sont reconnaissants d'avoir eu, grâce à la césarienne, des enfants en santé. La nécessité de recourir d'urgence à la césarienne est une raison de plus pour vouloir accoucher dans un hôpital, en toute sécurité.

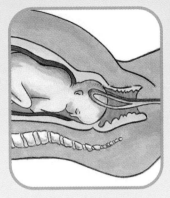

Accouchement à l'aide de forceps

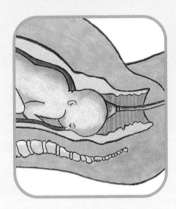

Accouchement à l'aide de la ventouse

Le troisième stade du travail

Le troisième stade du travail commence à la naissance du bébé et se termine lorsque le placenta est sorti. Il s'agit d'une période de soulagement, car, mis à part quelques légères contractions pour expulser le placenta, votre travail est terminé.

Aussi longtemps que l'utérus reste ferme et continue à se rétracter (et qu'il n'y a pas de saignement anormal), il est préférable d'attendre tout en surveillant la sortie du placenta qui se produit, habituellement au cours des 30 minutes suivant l'accouchement. Les études démontrent qu'on peut réduire cette attente lorsqu'on pince et qu'on coupe le cordon ombilical tôt après la naissance du bébé.

Pour suturer les déchirures ou effectuer l'épisiotomie, on attend que le placenta soit sorti. Enfin, votre médecin vous fera probablement une injection de Syntocinon®, une hormone synthétique qui aide votre utérus à se rétracter plus rapidement et ainsi arrête le saignement. Les études ont aussi démontré que l'usage systématique de cette hormone après l'accouchement, réduit de façon significative, chez la mère, la perte de sang après la naissance du bébé ainsi que le risque d'hémorragie post-partum.

Pendant cette période, l'infirmière vérifie fréquemment le volume et la forme de votre utérus pour s'assurer qu'il continue à se rétracter et que le saignement diminue toujours. En même temps, les infirmières s'occupent aussi de votre bébé. Il se peut que vous trembliez, que vous ayez froid et même que vous ayez des nausées. La nausée devrait bientôt se passer tandis qu'une couverture chauffante devrait vous réconforter.

Gaz sanguins du cordon ombilical

Tout de suite après la naissance du bébé, le médecin fera peut-être analyser le pH et les gaz sanguins du cordon ombilical afin de déterminer si l'enfant aura besoin d'assistance pour s'adapter à la vie hors de l'utérus.

Pour cette analyse, on prélève un échantillon du sang du cordon qu'on vient de sectionner. On vérifie les taux d'oxygène et du pH dans le sang du cordon. On utilise le taux du pH pour mesurer l'équilibre des éléments chimiques dans le sang, car il constitue un important indicateur du bien-être du bébé à la naissance.

Le troisième stade du travail

Vous pouvez :	L'accompagnant peut :
vous détendre, prendre votre bébé et le toucher;	tisser des liens avec le bébé;
si vous avez froid ou que vous tremblez, réclamez une couverture chauffante;	vous aider à vous préparer pour l'allaitement;
si on vous le demande, faites un effort pour expulser le placenta (l'exercice n'est pas douloureux).	vous offrir à boire, éponger votre visage et vos mains avec une serviette humide.

Le quatrième stade du travail

Le quatrième stade commence à la sortie du placenta et dure environ 2 heures. Profitez de cette période, reposez-vous et reprenez vos forces. Pendant ce temps, on vous surveille de près au cas où des problèmes se déclareraient. L'infirmière vérifie votre tension artérielle, votre rythme cardiaque, votre respiration, la hauteur de l'utérus ainsi que la quantité de sang qui s'écoule du vagin. C'est au cours de ces moments, alors que vous et votre nouveau-né vous adaptez aux changements qui suivent l'accouchement, que vous aurez une occasion unique de tisser des liens avec votre bébé.

Des liens entre vous et votre bébé

Vous avez probablement commencé bien avant sa naissance à éprouver un attachement profond pour votre bébé. Les pères sont capables de tisser, avec leur bébé, des liens qui sont tout aussi profonds que ceux des mères et on doit leur en fournir l'occasion dans les quelques minutes qui suivent la naissance. Certaines personnes éprouvent un attachement immédiat pour leur enfant, tandis que chez d'autres, l'attachement est progressif; c'est un peu comme la différence entre avoir le coup de foudre et « tomber en amour ».

À moins d'une indication contraire d'ordre médical, il est préférable que vous ne soyez pas séparée de votre bébé dans les moments qui suivent sa naissance. Envisagez alors de garder votre bébé nu sur votre poitrine et votre abdomen découverts pour permettre le contact peau contre peau. Vous prendrez le temps de tisser des liens et apprendrez à vous connaître. C'est surtout grâce à cet attachement qu'on crée des liens qui durent toute la vie.

Les infirmières d'obstétrique connaissent bien le processus et favorisent la formation de liens. Par exemple, elles baissent l'éclairage pour que le bébé puisse ouvrir les yeux. Tenez votre nouveau-né bien près de vous, à quelques pouces de votre visage pour qu'il puisse vous voir. Parlez-lui tranquillement et doucement avec votre timbre de voix normal. Votre bébé se tournera peut-être dans la direction de votre voix et ses yeux chercheront les vôtres. Au cours des prochains jours, profitez de toutes les occasions pour parler à votre nouveau-né. Tenez-le bien près de vous et favorisez les contacts peau contre peau. Ayez avec votre nouveau-né des gestes lents et donnez-lui le sein dès qu'il semble avoir faim.

Indice d'Apgar

Il existe un test simple et rapide pour évaluer la santé et la bonne forme du nouveau-né, test qu'on effectue une minute après la naissance et qu'on répète 5 minutes plus tard. Ce test, qu'on appelle indice d'Apgar, a été élaboré par une pédiatre, la Dre Virginia Apgar. C'est là un outil précieux dont les médecins se servent pour déterminer si un enfant aura besoin de soins spéciaux après sa naissance. Le test tient compte de 5 critères : la fréquence cardiaque, la respiration, le tonus musculaire, la réactivité aux stimulus et la coloration de la peau. Après avoir évalué les réactions du bébé, on assigne une note de 0 à 2 pour chacun des critères (0 est le minimum et 2, le maximum possible). Le total des points représente l'indice d'Apgar. Celui de la plupart des bébés se situe entre 7 et 10.

	0 point	1 point	2 points
Fréquence cardiaque	Nulle	Lente (au-dessous de 100/minute)	Au-dessus de 100/minute
Respiration	Nulle	Faible	Bonne, cris
Tonus musculaire	Flasque	Quelques mouvements	Mouvements actifs
Réactivité aux stimulus	Aucune réaction	Grimace, gémissements	Toux, éternuements
Coloration	Peau de couleur bleue ou pâle	Corps de couleur rosée, bras et jambes bleuâtres	Bébé tout rose

Par exemple, le bébé qui, à la naissance, a une fréquence cardiaque de 140/minute (2 points), pousse des cris (2 points), bouge un peu (1 point), tousse (2 points) et a la peau rose (2 points), aura donc une note de 9. On peut prévoir que le bébé sera en bonne santé si, cinq minutes après la naissance, le total des points s'élève au-dessus de 7.

**Personnes à qui
annoncer la
naissance du bébé**

_____

_____

_____

_____

_____

_____

_____

_____

_____

_____

_____

_____

_____

_____

_____

Comme la mère et l'enfant sont très alertes pendant les quelques heures qui suivent la naissance, c'est alors le meilleur temps pour tisser des liens et pour débuter l'allaitement.

Avant tout, laissez votre bébé se reposer paisiblement et laissez-lui le temps de s'adapter à son nouveau milieu. D'ici quelques jours, vous et votre bébé aurez fait ample connaissance. Et d'ici quelques semaines, votre bébé saura qu'il est en sécurité dans un monde où il fait bon vivre.

L'hémorragie post-partum

L'hémorragie post-partum, c'est-à-dire un saignement trop abondant suivant l'accouchement, se produit chez environ 7 à 10 p. cent des femmes. Il s'agit d'une situation inquiétante. Dans la plupart des cas, le saignement non maîtrisé est attribué à l'une des deux causes suivantes : l'utérus ne se rétracte pas ou il retient des fragments du placenta. La situation peut rapidement menacer la vie même de la mère. C'est une des principales raisons pour lesquelles il est préférable d'accoucher dans un hôpital.

Autrefois, cette complication pouvait entraîner la mort. Aujourd'hui, cependant, grâce à l'évolution de la médecine, on peut habituellement arrêter le saignement post-partum assez facilement. L'hémorragie se produit plus souvent lorsque le bébé est gros, lorsque le travail est long et pénible ou lorsqu'il s'agit d'un accouchement multiple (jumeaux).

Quand le placenta se détache de l'intérieur de l'utérus, un certain nombre de vaisseaux sanguins restent ouverts et le sang s'écoule dans l'utérus. Pour arrêter le saignement, l'utérus va se contracter fortement afin que la compression mette fin à l'hémorragie. La plupart du temps, le saignement non maîtrisé est associé à un utérus mou qui ne se contracte pas assez rapidement ou assez fermement pour pincer les vaisseaux et faire cesser le saignement. Si tel est le cas, on doit stimuler l'utérus (au moyen de médicaments) afin qu'il se contracte et arrête ainsi l'hémorragie.

Le placenta complet doit être expulsé. S'il se défait, et que des fragments restent à l'intérieur de l'utérus, on parle alors de « rétention ». Il s'agit de la deuxième cause de saignement en importance à la suite d'un accouchement. Lorsqu'il y a rétention de fragments de placenta, la contraction normale de l'utérus pour pincer et fermer les vaisseaux ne suffira pas pour arrêter l'hémorragie. Dans les cas où on ne réussit pas à retirer tout le placenta, une chirurgie mineure (curetage) est parfois pratiquée sur-le-champ afin de retirer les fragments placentaires retenus dans l'utérus.

Comment prévenir l'hémorragie post-partum

Dans le cas de l'hémorragie post-partum, il vaut mieux prévenir que guérir. De récentes études ont démontré qu'on peut réduire de près de 40 p. cent le risque d'hémorragie post-partum chez les femmes à qui on administre un médicament (oxytocine) qui est semblable à une hormone. Compte tenu de ses avantages, on l'administre aujourd'hui, de façon systématique, dans la plupart des hôpitaux, au cours du deuxième ou du troisième stade du travail. On le donne par injection dans un muscle ou par voie intraveineuse.

L'allaitement et le massage de l'utérus mou favorisent la contraction de l'utérus et sont autant de façons valables de prévenir l'hémorragie post-partum.

Quelle est la durée du séjour à l'hôpital?

Les avantages d'un retour précoce à la maison

Depuis quelques années, la mère et son nouveau-né passent moins de temps à l'hôpital après l'accouchement. Sans doute, ce changement est-il, en partie, attribuable aux réductions des dépenses dans le domaine de la santé, mais il reste que le retour précoce à la maison peut être préférable tant pour vous que pour votre enfant. On vous donnera probablement votre congé 24 à 48 heures après l'accouchement si toutefois votre bébé se porte bien, si vous avez suffisamment d'aide à la maison et si votre hôpital offre un programme de suivi à domicile. Les études indiquent que vous vous adapterez d'autant plus facilement à votre nouveau rôle de mère que vous serez rentrée chez vous tôt après l'accouchement. La maison est un endroit plus calme et plus tranquille que l'hôpital et vous dormirez mieux dans votre lit. Les séances d'allaitement risquent d'avoir plus de succès dans le confort familier de votre foyer où votre bébé sera moins exposé aux infections. Et surtout, ce sera tellement plus facile pour le père et pour les autres membres de la famille de passer du temps avec le bébé.

Les infirmières de maternité sont expertes dans l'art d'enseigner aux nouvelles mamans à prendre soin du nouveau-né. Vous pouvez profiter de votre séjour à l'hôpital pour apprendre d'elles tout ce que vous pouvez. N'hésitez pas à leur poser toutes les questions que vous voulez, même celles qui ne vous semblent pas si importantes.

Le suivi à domicile

Dans la plupart des localités, une infirmière de santé publique effectuera un suivi à domicile, moins de deux jours après votre sortie. Lorsque vous sortez tôt de l'hôpital, il est important que le suivi du nouveau-né soit effectué sans tarder, préférablement lors de la visite de l'infirmière à la maison.

La Société des obstétriciens et gynécologues du Canada et la Société canadienne de pédiatrie ont publié une déclaration de principe conjointe sur la façon de déterminer les cas où la mère et son bébé peuvent quitter l'hôpital tôt et en toute sécurité. Selon cette déclaration de principe, il est essentiel que le congé précoce soit suivi de très près par les visites à domicile.

On veut ainsi surtout s'assurer que l'alimentation du nouveau-né est bien établie et qu'il reçoit suffisamment de liquides et de nutriments pendant les premiers jours de son existence.

Au cours de sa visite à domicile, l'infirmière vous examine, vous et votre bébé, et répond à toutes vos questions portant sur vos soins et ceux de votre nouveau-né. On aborde également les questions concernant votre corps, l'allaitement, les couches, le bain, les liens avec le bébé, la reprise des rapports sexuels, la contraception ainsi que tout autre sujet sur lequel vous voulez plus de renseignements. On reconnaît de plus en plus que cette façon personnalisée et intime de soigner est le meilleur moyen de donner aux nouvelles mères l'assurance dont elles ont besoin pour prendre soin de leur bébé. Il est bon d'écrire vos questions avant l'arrivée de l'infirmière; de cette façon, vous n'oublierez rien de ce que vous voulez demander. À cet effet, vous pouvez utiliser l'espace ci-contre.

Séjours prolongés à l'hôpital

Parfois, il faut rester à l'hôpital un peu plus longtemps que prévu. C'est le cas lorsqu'il y a eu des problèmes au cours de l'accouchement, lorsque le travail a été long ou lorsqu'on doit donner des soins particuliers à vous ou à votre bébé ou qu'un de vous deux a besoin de repos. Si, dans votre localité, il n'y a pas de programme de suivi à domicile, ou si vous n'avez pas suffisamment d'aide à la maison, il peut être important de rester plus longtemps à l'hôpital. Si vous avez des craintes au sujet du retour à la maison, parlez-en à l'infirmière ou au médecin.

Renseignements sur le suivi à domicile

Numéro de téléphone du centre local de santé :

_____

Date et heure de la première visite :

_____

Date et heure de la deuxième visite :

_____

Nom de l'infirmière de santé publique :

_____

Questions que j'aimerais aborder avec l'infirmière au cours de sa visite :

1._____

2._____

3._____

4._____

5._____

Quand les choses tournent mal pour votre bébé

La plupart des bébés sont parfaitement normaux à la naissance; cependant, en dépit de tous les progrès de la médecine, un petit nombre de bébés souffrent de maladies graves ou d'anomalies à la naissance. Bien que très rarement, il arrive qu'un bébé meurt. Pendant la grossesse, les parents espèrent toujours que tout se passe le mieux possible, et la plupart se sentent déjà très attachés à l'enfant qui va naître. Pour eux, le fœtus est une personne à part entière, le nouveau membre de leur famille.

Ils sont donc complètement bouleversés lorsque le bébé a une anomalie de naissance ou naît sans signe de vie. Bon nombre de mères blâment leur propre corps; il les a trahies et a laissé tomber tout le monde, en particulier le bébé et le conjoint. Certaines femmes craignent que quelque chose qu'elles ont fait a provoqué l'anomalie ou la mort du bébé. Ce n'est presque jamais le cas.

Les parents dont le bébé naît vivant, mais atteint d'une grave maladie ou d'une anomalie de naissance, ressentent aussi un profond sentiment de deuil. Ils sont en deuil de l'enfant avec qui ils ne pourront jamais partager une vie normale.

Le sentiment de perte est encore plus profond et intense lorsque l'enfant meurt. Naturellement, pour bon nombre de parents, une telle perte est très difficile à vivre. Cette tragédie subite les laisse profondément affligés, bouleversés, incrédules et en colère.

Pour les parents et la famille, vivre le deuil est une étape essentielle de la guérison. En vivant leur deuil, les parents arrivent à s'en sortir. À cette occasion, tous les parents ont besoin d'appui pour traverser cette tragique épreuve.

Dire au revoir à votre bébé

Vous aurez des moments à vous rappeler si vous avez pris le temps de prendre votre bébé dans vos bras et de lui dire au revoir. Vous craindrez sans doute de voir le bébé s'il a des anomalies de naissance; cependant la réalité est presque toujours moins grave que ce que les parents imaginent. Vous désirerez peut-être organiser des obsèques ou un service commémoratif ou encore une cérémonie intime. En tant que parents en deuil, vous devez pouvoir exprimer vos sentiments. Votre bébé fait vraiment partie de votre vie.

Des études menées par des infirmières démontrent que les parents ont besoin d'appui pour les aider à supporter la peine de leur deuil et, dans plusieurs hôpitaux, on met un processus à la disposition des parents en deuil.

Vous et votre conjoint

Il se peut que le deuil mette durement à l'épreuve votre relation de couple. Il peut être pénible de communiquer et de vous regarder en face. Vous pourrez éprouver de la difficulté à reprendre les gestes de la vie quotidienne. La reprise des rapports sexuels peut représenter un problème. Il est possible de ressentir, envers le conjoint, une colère non résolue qu'on ne peut s'expliquer. C'est peut-être que vous cherchez sur qui porter le blâme. Il est normal de se sentir ainsi.

Soyez patients l'un envers l'autre. Confiez-vous vos sentiments aussi honnêtement et ouvertement que possible. Obtenez l'aide d'un professionnel. Si votre conjoint ne peut parler maintenant de la mort du bébé, dites-vous que vous pourrez en reparler plus tard. Le bébé n'est pas oublié pour autant. Chaque personne vit son deuil à sa façon et à son propre rythme.

Montrez-vous plus tendre envers votre conjoint. Soyez rassurants l'un pour l'autre; le toucher peut être une excellente façon d'exprimer votre soutien. Le bébé est né de l'amour que vous avez l'un pour l'autre. Accrochez-vous au souvenir des moments heureux que vous avez partagés avant que le malheur ne survienne et sachez qu'un jour, vous connaîtrez à nouveau la paix.

Chapitre 7

Prenez soin de vous

Comment arriver à se reposer

Tout de suite après l'accouchement, bon nombre de nouvelles mamans ressentent d'abord un regain d'énergie suivi d'une grande fatigue. Au tout début, le bébé aura faim à 2 à 3 heures d'intervalle et il vous semblera ne jamais en avoir fini avec le cycle de l'allaitement. C'est là une réaction très normale; cela dit, un tel horaire exige tout de même une dépense considérable d'énergie. Vous devez vous reposer suffisamment. Lorsque le bébé dort, faites de même. On ne le répétera jamais assez... Il est très important d'avoir suffisamment de repos. Voici quelques conseils à cet effet.

Une des choses les plus importantes que vous puissiez faire pour votre bébé est de prendre soin de vous-même. Il est beaucoup plus facile de s'occuper d'un tout-petit lorsqu'on est bien portante et reposée. Il faut du temps pour s'adapter à tous les changements qu'entraîne la venue d'un bébé. Votre corps a subi toutes sortes de transformations pendant la grossesse, mais voilà que vous n'êtes plus enceinte. Ce seul fait exige une adaptation. Il faut mettre du temps pour reprendre la forme. C'est le temps maintenant de demander de l'aide de votre famille et de vos amis et d'accepter lorsqu'on vous offre un coup de main pour la préparation des repas, le ménage, la lessive ou le gardiennage des autres enfants.

Votre corps se transforme après l'accouchement

Pendant la grossesse, votre corps a subi des transformations qui se sont étalées sur plus de 9 mois. Il est donc raisonnable que le retour à la normale prenne autant de temps : soyez patiente envers vous-même. Après l'accouchement, l'utérus est rond et dur et mesure environ 17,5 cm (7 po). On peut en palper l'extrémité supérieure à la hauteur de l'ombilic. Six semaines après l'accouchement, il mesure environ 7,5 cm (3 po). Vous n'arrivez plus à le palper même en pressant sur votre abdomen. L'allaitement contribue à la contraction plus rapide de l'utérus.

Le périnée est la région située entre le vagin et le rectum. Le périnée, qui a été étiré pendant l'accouchement, peut être enflé, tuméfié et sensible. On a peut-être dû faire des points de suture pour réparer une déchirure ou une épisiotomie. Les points se résorberont d'eux-mêmes au bout d'un certain temps; vous ressentirez peut-être une démangeaison pendant la cicatrisation. Six semaines après l'accouchement, vous pourrez reprendre les exercices de Kegel (voir page 34). Ces exercices aideront les muscles du périnée à retrouver leur tonus. Certaines femmes ressentent un engourdissement temporaire au niveau du périnée.

R E P O S

Détendez-vous dès que vous en avez la chance. Faites un somme, lisez, regardez la télé et surtout, lorsque le bébé dort, dormez vous aussi!

Mangez sainement et buvez beaucoup de liquides, surtout si vous allaitez.

Partagez la responsabilité des soins du nouveau-né avec votre conjoint, votre famille et vos amis. N'hésitez pas à demander de l'aide.

Prenez le temps de profiter du bébé. Dorlottez-le, parlez-lui, chantez-lui une petite chanson. Les tâches domestiques peuvent toujours attendre.

Le « baby blues »

Après avoir accouché, il est normal de pleurer sans raison, de vous sentir inquiète, effrayée et triste. Plus de 70 p. cent des nouvelles mamans se sentent un peu déprimées après la naissance du bébé. On estime que cette légère dépression est liée aux fluctuations des taux d'hormone de la grossesse. Il se peut aussi qu'il s'agisse de sentiments de perte puisque le bébé n'est plus en vous. La déprime s'installe habituellement au cours des deux jours suivant l'accouchement et peut durer quelques heures ou quelques jours. Normalement, tout devrait rentrer dans l'ordre, sans intervention, en moins de deux semaines.

Vous pouvez passer par toute une gamme de sentiments. Vous vous sentez très heureuse et, la minute suivante, vous êtes triste; vous vous sentez très fatiguée et tout à coup vous avez un regain d'énergie. Vous pouvez avoir de la difficulté à dormir ou à prendre des décisions. Vous vous sentez tour à tour pleine d'assurance, puis d'anxiété. Il peut vous sembler que votre vie ne vous appartiendra jamais plus et que votre corps ne retrouvera pas sa bonne forme d'autrefois. Vous pouvez vous sentir toujours fatiguée et avoir perdu votre appétit sexuel. Il est très normal de vous sentir ainsi. Voilà l'occasion idéale de vous adresser à votre conjoint, à votre famille et à vos amis pour obtenir de l'aide, de l'amour et du réconfort.

Lorsque le « baby blues » devient dépression

Quand le « baby blues » devient plus grave au lieu de s'atténuer, ou qu'il se prolonge au-delà de deux semaines, il se peut qu'il s'agisse maintenant d'une dépression postnatale. Un petit nombre de nouvelles mamans en souffrent. La tristesse est devenue un sentiment d'impuissance et de désespoir profond. Vous pouvez être irritée de devoir être disponible, tous les jours, 24 heures par jour. Tout en appréciant l'attention dont le bébé est l'objet, vous pouvez en même temps en ressentir de la jalousie. Vous pouvez vous sentir responsable du bébé et mécontente de l'être. Vous pouvez commencer à avoir des doutes quant à votre capacité à prendre soin du bébé. Les pleurs du bébé peuvent susciter de la frustration voire même de la colère et vous pouvez croire qu'il le fait exprès pour vous irriter. Vous pouvez envisager de vous blesser ou de blesser l'enfant. Vous pouvez vous convaincre que ces sentiments que vous éprouvez ne sont pas normaux. Il existe un traitement pour la dépression postnatale. Demandez de l'aide. Confiez vos sentiments à l'infirmière de santé publique ou à votre médecin.

Reconnaître les signes de la dépression postnatale

Si vous répondez à l'affirmative à un des énoncés suivants, demandez de l'aide.

- La déprime dure encore après 2 semaines.
- J'ai de profonds sentiments de tristesse ou de culpabilité.
- J'ai de profonds sentiments d'impuissance et de désespoir.
- Je ne peux pas dormir même quand je suis fatiguée.
- Je dors tout le temps, même quand mon bébé est éveillé.
- Je ne peux rien manger même quand j'ai faim.
- Je ne peux rien manger parce que je n'ai jamais faim ou que je me sens malade.
- Je m'inquiète trop pour le bébé. C'est une véritable obsession.
- Je ne m'inquiète pas du tout du bébé. C'est tout comme si ça ne me faisait rien.
- J'ai des crises de panique.
- J'éprouve de la colère envers le bébé.
- J'ai envie de me blesser ou de blesser le bébé.

Si un des énoncés qui paraissent plus haut correspond à votre situation, demandez tout de suite de l'aide. Si vous reconnaissez un des signes de dépression chez une nouvelle maman, obtenez de l'aide pour elle. On peut aider à chasser ces sentiments par du counseling et des traitements. N'hésitez pas. Appelez votre médecin.

Saignements annonciateurs de problèmes

Il n'est pas normal que les saignements demeurent abondants ou qu'ils augmentent. Normalement, les saignements devraient graduellement diminuer de jour en jour. Si, au moment où les saignements sont en train de diminuer, vous avez soudainement un saignement abondant d'un rouge vif (assez abondant pour tremper une ou deux serviettes sanitaires épaisses, et ce, en moins de 2 heures, et qui, de plus ne diminue pas avec le repos), n'hésitez pas à vous rendre immédiatement à l'hôpital. Un tel saignement se produit le plus souvent au cours de la troisième ou de la quatrième semaine après l'accouchement, mais peut survenir plus tôt ou plus tard.

Il n'est pas normal non plus de passer de gros caillots de sang. Il serait également anormal d'avoir des pertes vaginales inhabituelles et d'une odeur repoussante. Si cela se produit, c'est peut-être signe d'une infection de l'épisiotomie ou du vagin. Il peut s'agir d'un problème grave; vous devez alors téléphoner tout de suite à votre médecin. Ce dernier vous prescrira des antibiotiques. Si, après 5 semaines, le saignement n'a pas cessé tout à fait, prenez rendez-vous avec votre médecin.

Les pertes vaginales normales

L'écoulement vaginal qui suit l'accouchement est appelé lochies. Il est composé de sang et de tissus provenant de la membrane qui tapisse l'utérus. Au début, les lochies sont d'un rouge vif, parfois accompagnées de petits caillots. Il se peut que des saignements rouge vif, de courte durée, reprennent pendant et après les séances d'allaitement. L'allaitement entraîne de faibles contractions de l'utérus qui causent ces saignements par ailleurs normaux. Lorsque vous restez couchée, le sang peut s'accumuler dans le vagin et couler plus abondamment pour une courte période au moment où vous vous levez. Cette situation est normale au cours des premiers jours. Au fil des jours suivants, l'écoulement devient rosé et plus léger. Vous remarquerez, à l'occasion, des taches de sang au moment où les pertes diminuent. À la longue, les lochies prennent une teinte blanc jaunâtre et cessent graduellement de s'écouler. Les pertes peuvent durer entre 10 jours et 5 semaines. S'il s'agit d'un deuxième accouchement, l'écoulement sera peut-être différent cette fois-ci.

Quand les pertes sont plus abondantes que ce que vous estimez normal, plus abondantes qu'une menstruation ou qu'il s'en dégage une odeur repoussante, consultez votre médecin. Utilisez plutôt des serviettes sanitaires que des tampons.

Les menstruations

Si vous n'allaitez pas, vos menstruations reviendront de 4 à 9 semaines après l'accouchement. Au début, il se peut que les menstruations soient plus longues, plus courtes, plus abondantes ou plus légères qu'avant la grossesse. Tout devrait rentrer dans l'ordre au bout de quelques cycles menstruels. Lorsque vous allaitez, il se peut que les menstruations ne reprennent qu'au bout de quelques mois et même seulement quand vous aurez cessé l'allaitement. Dans ce cas, il pourrait y avoir ovulation avant le retour des menstruations.

C'est donc que vous pourriez devenir à nouveau enceinte sans avoir eu de règles. Pour éviter une grossesse non désirée, prévoyez un moyen de contraception dès la reprise des rapports sexuels (habituellement de 4 à 8 semaines après l'accouchement).

Reprise des rapports sexuels

La reprise des rapports sexuels est une question de choix personnel. Vous pouvez le faire en toute sécurité aussitôt que les saignements ont cessé, mais rien ne vous y oblige avant que vous ne vous sentiez prête. Vous ne devriez ressentir aucune forme de contrainte. Votre corps, votre cerveau et votre esprit doivent avoir le temps de s'ajuster aux changements apportés par l'accouchement et la maternité. Si vous agissez comme la plupart des nouvelles mamans, vous consacrez toute votre énergie à prendre soin du bébé. Les premières semaines sont épuisantes.

Il se peut que vous craigniez une certaine douleur lorsque vous recommencerez à faire l'amour. Si tel est le cas, il existe des crèmes et des gelées spécifiques qui aident à lubrifier le vagin. Vous pouvez aussi essayer différentes positions pour découvrir laquelle est la plus confortable. Il se peut aussi qu'une légère dépression cause une diminution d'intérêt pour le sexe. Face au changement de leur image corporelle, certaines nouvelles mamans éprouvent de l'insécurité et se sentent moins désirables, du moins les premiers temps. Ces sentiments et ces inquiétudes sont tout à fait normaux.

Bon nombre d'hommes préfèrent également ne pas avoir de rapports sexuels trop tôt après la naissance du bébé. Eux aussi se sentent fatigués par toute l'agitation, par les heures tardives des repas de bébé et par leur nouvelle responsabilité paternelle. La plupart des hommes reconnaissent que vous devez prendre le temps de vous remettre de l'accouchement, tant physiquement qu'émotivement.

La plupart des couples n'auront pas de rapports sexuels pendant quelques semaines, voire même quelques mois après l'accouchement. Si tel est votre cas, cela ne signifie pas pour autant que votre relation soit en danger. C'est simplement que vous prenez tous deux le temps de vous ajuster aux changements occasionnés par l'arrivée du bébé. Il devient alors très important de vous faire confiance l'un l'autre et de partager vos sentiments. Il existe plusieurs moyens non sexuels de démontrer votre amour à votre conjoint. Si vous éprouvez quelque inquiétude à reprendre les rapports sexuels avec votre conjoint, prenez rendez-vous avec votre médecin. Vous trouverez des renseignements au sujet des choix de contraception aux pages 97 et 98.

Malaises fréquents du post-partum

Seins sensibles

Lorsque vos seins commencent à produire du lait, entre 2 et 4 jours après la naissance du bébé, ils seront probablement gonflés, sensibles et durs au toucher (voir page 106 pour plus de renseignements sur l'engorgement). Si vous allaitez, donnez fréquemment le sein au bébé afin de vider les glandes lactifères. Vous pouvez aussi extraire le lait avec une pompe pour diminuer la pression. Vous serez peut-être soulagée par l'application de serviettes chaudes sur les seins.

Si vous avez décidé de ne pas nourrir au sein, utilisez des compresses de glace pour réduire l'engorgement, mais n'extrayez pas le lait de vos seins parce que cela les stimulerait à en produire encore davantage. Puisque vous n'allaitez pas, vous pouvez prendre des analgésiques. Si vos seins sont sensibles, il est important de leur donner un bon soutien, par exemple, en portant, même la nuit, un soutien-gorge bien ajusté.

Douleurs vaginales

Il est normal qu'après avoir accouché, le périnée, c'est-à-dire la région de l'anus et du vagin, soit enflé, meurtri et sensible. Chez certaines femmes, la douleur persiste jusqu'à 6 semaines. Si vous avez eu des points de suture, l'inconfort sera encore plus grand. Voici un petit truc : imbibez d'eau une grande serviette sanitaire propre et mettez-la au congélateur. Fixez la serviette congelée dans votre sous-vêtement. Le port de la serviette devrait réduire l'enflure. Un bain chaud soulage quelquefois la démangeaison causée par la cicatrisation des points de suture. Pour éviter les infections, gardez la région du vagin scrupuleusement propre. Reposez-vous autant que possible en gardant les pieds élevés pour soulager la pression sur le plancher pelvien. Au besoin, prenez un analgésique.

Les crampes

On appelle tranchées les douleurs qui ressemblent aux crampes menstruelles. Elles sont causées par la contraction de l'utérus qui reprend sa forme normale. Les douleurs sont plus vives pendant l'allaitement. Les femmes qui accouchent pour la première fois peuvent ne pas en ressentir. Pour les soulager, essayez de prendre un bain chaud ou appliquez de la chaleur sur tout l'abdomen. Les analgésiques peuvent aider, surtout ceux qui visent les douleurs menstruelles. Vous pouvez aussi pratiquer les techniques de respiration profonde et de relaxation apprises pendant la grossesse.

La fonction intestinale

Il est parfaitement normal de ne pas aller à la selle pendant 2 à 3 jours après l'accouchement. Les intestins sont paresseux, principalement parce que vous n'avez pas beaucoup mangé ou encore parce qu'on vous a administré des analgésiques. De plus, les muscles abdominaux dont vous vous servez pour expulser les selles sont étirés et moins efficaces.

Bon nombre de femmes craignent de se blesser quand elles vont à la selle la première fois après l'accouchement parce que leur périnée est endolori ou qu'elles souffrent d'hémorroïdes. Elles peuvent alors « se retenir » d'aller à la selle. Ce n'est pas la chose à faire, car les selles peuvent alors durcir. Il faut à tout prix éviter une telle situation. Buvez beaucoup d'eau et de jus de fruits, mangez des aliments riches en fibres comme les muffins au son, les céréales de son, des fruits frais et des légumes. Vous trouverez, à la pharmacie, des médicaments pour ramollir les selles. La constipation et les selles dures peuvent entraîner l'apparition d'hémorroïdes. Pour faciliter la fonction intestinale et pour éliminer les gaz, faites de l'exercice léger, par exemple, la marche (à l'intérieur ou à l'extérieur de la maison).

Hémorroïdes

Les hémorroïdes sont des bosses, semblables à de petits raisins, situées autour de l'anus. Fréquemment, elles sont douloureuses et causent des démangeaisons. Si vous êtes constipée, elles peuvent suinter du sang d'un rouge clair. Pour faire diminuer l'enflure, imbibez d'eau une grande serviette sanitaire propre et mettez-la au congélateur. Fixez la serviette congelée dans votre sous-vêtement. Restez couchée plutôt qu'assise afin de diminuer la pression exercée sur la région anale jusqu'à la guérison des hémorroïdes. Il existe des remèdes très efficaces pour diminuer l'enflure des hémorroïdes, vendus sous forme de crèmes, de vaporisateur et d'onguents. Consultez votre médecin ou votre pharmacien.

Miction (urine)

Immédiatement après l'accouchement ou pour les quelques jours suivants, vous pouvez avoir de la difficulté à uriner si on a mis en place un cathéter, ou encore éprouver de la douleur en raison des points de suture ou d'une petite déchirure vaginale. Pour encourager le flot de l'urine, écoutez le son de l'eau qui coule du robinet dans le lavabo de la salle de bain. Pour atténuer la sensation de brûlure, essayez d'uriner en prenant une douche ou un bain, ou encore, pressez de l'eau chaude d'une bouteille sur le périnée pendant que vous urinez. Ne frottez pas la région avec du papier hygiénique après la miction; pliez-le plutôt en tampon et servez-vous-en comme d'une éponge pour absorber l'urine.

Dans les jours qui suivent, vous urinerez plus fréquemment et aurez peut-être de la difficulté à identifier le moment où l'urine commence à couler. Une toux, un éternuement ou l'activité physique peuvent occasionner des pertes d'urine. Ce problème porte le nom d'incontinence urinaire. Il est causé par le relâchement des muscles du plancher pelvien. Les exercices de Kegel (voir page 34) peuvent redonner du tonus aux muscles du périnée. Le problème se résorbe graduellement dans la plupart des cas. En attendant, il existe des sous-vêtements spéciaux et des serviettes sanitaires très absorbantes conçus pour protéger vos vêtements et vous éviter des situations embarrassantes. Consultez votre pharmacien.

Retrouver la forme

Après l'accouchement, vous semble-t-il que votre ventre est mou et que vous paraissez encore enceinte? Ne vous en faites pas, c'est tout à fait normal. Vos muscles abdominaux se sont étirés pendant la grossesse et ils ne peuvent pas reprendre leur forme immédiatement après la naissance du bébé. Il leur faut du temps pour se rétracter et retrouver leur tonus d'avant la grossesse. Quant au poids que vous avez pris tout graduellement, il faudra peut-être quelques mois pour le perdre. Ne tentez pas de le perdre rapidement avec un régime à faible apport calorique. Il vaut mieux avoir une alimentation saine et variée, et inclure des exercices à vos activités aussi tôt que possible.

Procurez-vous la meilleure voiture d'enfant ou poussette que vous pouvez vous permettre. Vous pouvez toujours l'emprunter ou l'acheter d'occasion. Choisissez-en une avec laquelle vous pouvez marcher facilement. Marcher d'un bon pas est excellent pour le tonus musculaire et le bébé en profitera aussi. Les plus récentes études portant sur la perte de poids démontrent qu'il suffit d'aussi peu que 20 minutes par jour de marche rapide ou d'un exercice semblable pour agir sur le métabolisme et lui permettre de « brûler » plus de calories. Par contre, la privation alimentaire aura l'effet contraire, car le corps s'adapte alors à une « situation de famine » en accumulant toute l'énergie possible sous forme de gras.

On offre, dans certaines localités, des séances de mise en forme postnatales axées sur les exercices qui rétablissent le tonus musculaire et brûlent les graisses; c'est précisément ce dont les nouvelles accouchées ont surtout besoin. Ces séances ont aussi l'avantage de favoriser les rencontres entre nouvelles mamans et leur permettre de partager leurs préoccupations. Ce simple échange peut être bénéfique lorsque vous manquez de sommeil et que vous éprouvez le stress de devoir satisfaire tous les besoins de votre bébé.

L'allaitement contribue aussi à la perte de poids, car le corps doit alors brûler un nombre supplémentaire de calories pour obtenir l'énergie requise pour la production du lait maternel. De plus, l'allaitement provoque les contractions qui encouragent la rétraction de l'utérus et son retour au volume normal.

Choix en matière de contraception

Pour éviter une nouvelle grossesse, vous et votre partenaire devez, dès maintenant, décider quelle est le mode de contraception qui vous convient le mieux. Car vous pouvez devenir enceinte même si vous allaitez et même si vous n'avez pas encore eu vos règles. Lorsque vous reprenez les rapports sexuels, assurez-vous d'avoir, à portée de la main, tout ce dont vous avez besoin pour la contraception. Consultez votre médecin.

Les contraceptifs oraux (la pilule) sont un bon choix pour la plupart des femmes. Il vaut mieux commencer à les prendre environ de 3 à 4 semaines après l'accouchement. Si vous allaitez, sachez qu'on n'a pu établir, pour le bébé, aucun effet nocif produit par les hormones qu'ils contiennent. Par contre, les hormones peuvent agir sur la production du lait. Vous ne devriez cependant avoir aucun problème si l'allaitement se déroule bien et si vous produisez déjà une bonne quantité de lait. Par contre, si vos seins sécrètent peu de lait, demandez à votre médecin si vous pouvez utiliser un contraceptif progestatif seulement, car ce dernier ne semble pas intervenir dans la production du lait.

Lorsque vous commencez à prendre « la pilule », suivez scrupuleusement le mode d'emploi. Ce n'est qu'après avoir terminé un cycle entier que vous serez protégée d'une grossesse. D'ici là, utilisez une autre méthode de contraception.

Les préservatifs masculins (condom en latex) sont faciles à utiliser et protègent aussi les deux partenaires contre les maladies transmissibles sexuellement. C'est un bon choix contraceptif à garder en réserve « au cas où ». Suivez attentivement le mode d'emploi.

Les préservatifs féminins sont maintenant offerts chez votre pharmacien. Choisissez celui qui est en latex et suivez bien les directives.

Les spermicides chimiques (mousses et crèmes) détruisent les spermatozoïdes. Ils sont des plus fiables lorsqu'ils sont utilisés conjointement avec le préservatif de latex. Suivez bien le mode d'emploi.

Les diaphragmes obstruent le col de l'utérus et empêchent la pénétration des spermatozoïdes dans celui-ci. Si vous utilisiez un diaphragme avant la grossesse, il vous en faudra un nouveau; il faudra attendre 8 semaines après l'accouchement pour déterminer celui qui convient le mieux. L'efficacité du diaphragme est maximale lorsqu'il est utilisé conjointement avec une mousse ou une crème spermicides.

Depo-Provera® est le nom du médicament utilisé pour prévenir la grossesse. Il est administré par une injection répétée tous les 3 mois. Cette méthode contraceptive est simple, facile et économique. Consultez votre médecin.

Le stérilet est un choix judicieux pour un certain nombre de femmes. Votre médecin peut le poser dans son cabinet 8 semaines après l'accouchement, au moment où l'utérus a atteint son volume normal. Consultez votre médecin.

Si vous désirez de plus amples renseignements, consultez votre annuaire téléphonique sous les rubriques Planning des naissances, Service de la santé, Centre de santé-sexualité.

Votre famille est complète?

La stérilisation est une méthode de contraception permanente. Quoiqu'on puisse quelquefois, par chirurgie, rétablir la fertilité, il faut bien peser le pour et le contre de la décision que vous et votre conjoint voulez prendre.

La vasectomie est l'intervention chirurgicale qui rend l'homme stérile. Elle est pratiquée sous anesthésie locale, au cabinet de l'urologue, un médecin spécialisé. L'urologue sectionne le canal déférent, le tube par lequel les spermatozoïdes sortent des testicules.

La ligature des trompes est l'intervention chirurgicale qui rend les femmes stériles. Elle est pratiquée à l'hôpital, sous anesthésie générale. Il existe plusieurs méthodes chirurgicales pour pratiquer la ligature.

La visite de suivi après l'accouchement

Notes d'évolution

Date :

Tension artérielle :

Poids :

Votre médicin peut tout vous
dire sur la **pilule progestative**

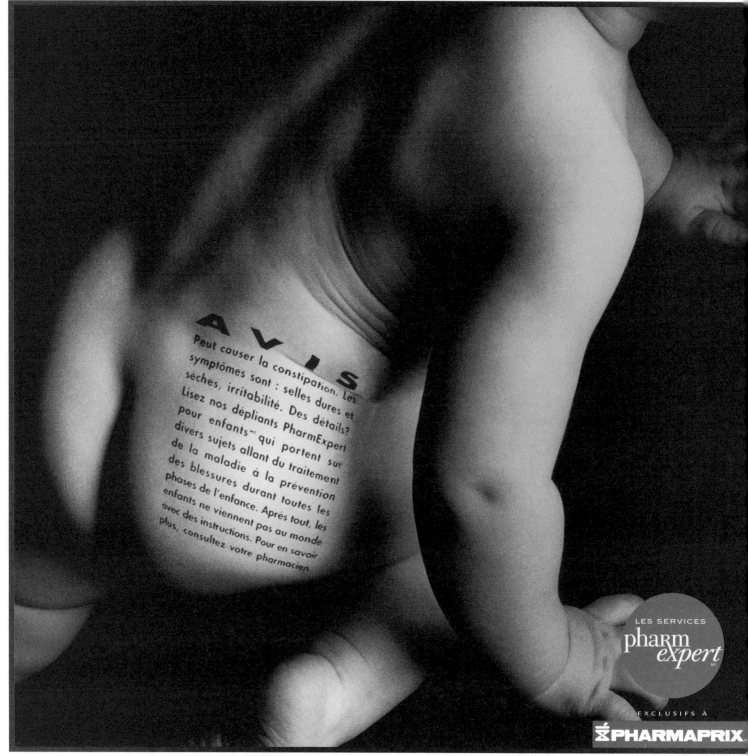

AVIS

Peut causer la constipation. Les symptômes sont : selles dures et sèches, irritabilité. Des détails? Lisez nos dépliants PharmExpert pour enfants^{MC} qui portent sur divers sujets allant du traitement de la maladie à la prévention des blessures durant toutes les phases de l'enfance. Après tout, les enfants ne viennent pas au monde avec des instructions. Pour en savoir plus, consultez votre pharmacien.

LES SERVICES

pharm
expert MC

EXCLUSIFS À

PHARMAPRIX

Mis au point avec le concours de la Société canadienne de pédiatrie et l'Hôpital pour enfants malades.

Chapitre 8

Prendre soin de votre bébé

Signes de déshydratation chez le nouveau-né

Tous les signes suivants dénotent la déshydratation chez le nouveau-né; il s'agit d'une situation grave. Si vous en observez un chez votre bébé,

Téléphonez immédiatement à votre médecin.

Yeux creux

Surfaces concaves et molles sur le dessus de la tête

Bébé somnolent, endormi, qu'on a de la difficulté à réveiller

Bébé agité et irritable

Plus de 40 respirations/minute

Diminution de la quantité d'urine (changements de couche moins fréquents ou couches moins mouillées)

Urine d'un jaune foncé

Assèchement de la bouche, des lèvres, de la langue et du nez

Perte de poids

Abdomen dur

Fièvre

Les nouveau-nés nécessitent des soins particuliers. Il faut avoir, avec eux, des gestes lents et calmes, mais sûrs. Ils ne maîtrisent pas encore leurs muscles et sont incapables de tenir la tête droite. On les soulève en supportant de la main les deux parties les plus lourdes de leurs corps, soit la tête et les fesses. Le corps de certains bébés est enduit d'une substance cireuse appelée *vernix caseosa*. Sans cette substance, il arrive que la sécheresse fasse peler leur peau. Le dos et les épaules de bon nombre de nouveau-nés sont recouverts d'un fin duvet qui disparaît dans une ou deux semaines. Quelquefois, ils ont la peau marbrée, marquée de taches blanches ou de plaques d'urticaire; ceci disparaît habituellement au bout de quelques jours. Certains nouveau-nés ont le bout des doigts et des orteils d'un bleu-gris. Ceci est causé par une modification de la circulation après la naissance; tout rentrera dans l'ordre d'ici quelques jours.

Quelquefois, les pressions subies pendant la descente dans le passage d'expulsion peuvent mouler la tête du bébé et lui donner une forme allongée. Au cours des semaines et des mois qui suivent, la tête du bébé reprendra sa forme normale. On peut sentir, sur le dessus du crâne du bébé, 2 espaces de tissus mous où les os ne sont pas complète-

ment liés; ce sont les fontanelles. Si vous regardez de près, vous pourrez observer le pouls qui les soulève. Ce phénomène est normal; vous pouvez y toucher délicatement sans faire de mal au bébé. Généralement, les os du crâne auront fusionné avant que le bébé ait 18 mois. Plusieurs nouveau-nés naissent avec la tête complètement couverte de cheveux tandis que d'autres sont presque chauves. Chez un certain nombre de bébés, la première toison sera remplacée par une repousse de couleur différente. De même, la couleur des yeux du bébé peut changer entre l'âge de 3 et 6 mois.

Les hormones qui sont dans votre système au moment de l'accouchement peuvent avoir un effet sur le bébé. Il arrive, par exemple, qu'au cours des premiers jours, les nouveau-nés des deux sexes aient les seins gonflés, et même qu'il s'écoule quelques gouttes de lait de leurs mamelons. Ne vous inquiétez pas, le lait disparaîtra de lui-même. Le contact avec les hormones maternelles peut aussi agir sur les organes génitaux des bébés; pendant quelques jours, les organes sexuels sont anormalement enflés. Le scrotum (la poche qui contient les testicules) des bébés garçons peut être plus foncé. Chez les filles, il peut même se produire un écoulement vaginal d'apparence laiteuse ou teinté de sang. Toutes ces choses sont normales.

Votre bébé élimine-t-il bien?

Il est d'importance capitale que le bébé élimine bien. Une mère peut le vérifier au nombre de fois que le bébé souille ou mouille sa couche. Un nouveau-né peut se déshydrater très rapidement. La déshydratation entraîne de graves problèmes. Il est donc très important de s'assurer que le bébé boit suffisamment de lait et qu'il élimine une quantité normale de selles et d'urine.

Les premières selles du bébé sont constituées de méconium, une substance visqueuse d'un vert bouteille. Le nouveau-né élimine du méconium pendant les 24 à 48 heures qui suivent sa naissance. Ses selles deviennent ensuite moins compactes et prennent une couleur verte ou jaune. Ce sont les selles de transition qui durent de 3 à 4 jours. L'enfant qu'on nourrit au sein a des selles de couleur moutarde, d'une consistance allant de liquide (quelquefois comme de l'eau) à granuleuse, mollasse ou pâteuse (un peu comme de la moutarde).

Les bébés nourris au sein ont plusieurs selles par jour et ne sont presque jamais constipés. Par ailleurs, certains d'entre eux n'auront des selles qu'à quelques jours d'intervalle. Les bébés nourris au biberon ont des selles plus consistantes, d'une couleur allant du jaune au vert et d'une odeur prononcée. Ils sont également plus enclins à la constipation.

Lorsque l'urine du bébé est presque claire, vous savez qu'il absorbe suffisamment de lait. L'urine se voit difficilement dans la couche, mais vous pouvez vérifier au toucher; de plus, la couche sera plus lourde qu'une couche sèche. Quand l'urine est d'un jaune foncé, le bébé est probablement déshydraté et doit boire plus de lait (liquides). Vérifiez toujours la couche quand vous changez le bébé. L'urine éliminée devrait correspondre au liquide absorbé. Le nouveau-né qui perd plus que 5 p. cent de ses liquides peut tomber gravement malade. Surveillez les signes de déshydratation chez le nouveau-né. Si la situation vous préoccupe, téléphonez à votre médecin.

Les couches du bébé

Les nouveau-nés urinent jusqu'à 18 fois par jour et peuvent avoir jusqu'à 10 selles par jour; vous devez donc avoir un bon nombre de couches en réserve. Pour que le bébé reste propre et au sec, changez-le lorsque sa couche est souillée ou mouillée. La plupart des mères adoptent certaines habitudes à ce sujet. Par exemple, certaines mères changent la couche du bébé après l'avoir nourri, avant de le remettre au lit. D'autres mères changent la couche du bébé après que ce dernier ait tété un sein; elles en profitent pour réveiller le nourrisson somnolent à qui elles offrent ensuite l'autre sein.

Il existe deux sortes de couches, les couches de tissu et les couches jetables. Les femmes qui sont préoccupées par la pollution de l'environnement ou par le coût prohibitif des couches jetables préfèrent les couches de tissu. On trouve des services de couches dans bon nombre de localités; des couches fraîchement lavées sont livrées à domicile en échange de vos couches souillées. Lorsqu'on possède une machine à laver et une sécheuse, le lavage des couches ne pose pas de problème et ne prend pas trop de votre temps.

Pour changer la couche de bébé en toute sécurité

 Avant de commencer, assemblez d'abord tout ce dont vous aurez besoin.

Il vous faut :

- des débarbouillettes ou des serviettes humides jetables;
- des couches (et quelquefois des vêtements) propres;
- des cotons-tiges et de l'alcool à frictionner si le cordon n'est pas encore tombé;
- un onguent pour prévenir l'irritation due aux couches.

 Ne perdez pas le bébé de vue une seule seconde.

 Lorsque vous devez étendre le bras pour saisir un objet, placez la main sur le ventre du bébé. Si vous ne pouvez atteindre l'objet, amenez le bébé avec vous.

 Ne tenez pas compte des sonneries de la porte ou du téléphone, ou encore, amenez le bébé pour y répondre.

 Pour éviter de transmettre des microbes, lavez bien vos mains chaque fois que vous avez changé la couche du bébé.

Au sujet de la jaunisse

Au cours des jours qui suivent la naissance, la peau et le blanc des yeux de certains bébés peuvent prendre une coloration jaune. C'est ce qu'on appelle la jaunisse ou ictère du nouveau-né. Elle est causée par une accumulation, dans le sang du nouveau-né, d'une grande quantité d'une substance verte appelée bilirubine. La bilirubine provient de la dégradation des cellules rouges. Le foie a pour fonction d'éliminer la bilirubine. Cependant, chez le nouveau-né, pendant les quelques jours qui suivent la naissance, le foie ne remplit pas encore cette fonction. Pendant la grossesse, ce sont le foie de la mère et le placenta qui faisaient ce travail.

Ne vous inquiétez pas si votre bébé fait une jaunisse. Le taux de bilirubine que peut produire un nouveau-né n'est habituellement pas dangereux. Il est très rare qu'il atteigne, chez le nouveau-né, un taux assez élevé pour endommager son système nerveux. Votre médecin, ou l'infirmière de santé publique qui vous visite, pourra vérifier le sang du bébé. Il arrive rarement qu'un bébé doive être traité à l'hôpital par photothérapie. On pratique la photothérapie en exposant le bébé à une lumière spéciale.

Soin du cordon

Habituellement, le bout du cordon ombilical qui reste, et sous lequel se trouve l'ombilic du bébé, se dessèche et tombe au bout d'une semaine ou deux. Afin de prévenir les infections, il est important que le bout du cordon soit toujours bien propre. Demandez à votre médecin, à l'infirmière d'obstétrique ou à l'infirmière de santé publique s'il y a un produit qu'elle recommande d'appliquer sur le cordon. Vous ne faites aucun mal au bébé lorsque vous nettoyez le cordon, mais certains produits peuvent le faire pleurer s'ils sont froids au moment où vous les appliquez. Ne couvrez pas le cordon de gaze ou de pansements. La région du cordon doit être nettoyée au moins trois fois par jour.

Si vous pensez que votre bébé a la jaunisse :

nourrissez l'enfant à toutes les 2 ou 3 heures, le jour comme la nuit;

téléphonez à votre médecin.

Votre médecin voudra savoir :

• combien de couches le bébé a mouillées ou souillées pendant une période donnée;

• la quantité et la couleur des selles.

Directives du médecin ou de l'infirmière de santé publique :

_____

_____

_____

Pliez le devant de la couche de façon à laisser le cordon ou l'ombilic à découvert pour garder la région propre et sèche. Si vous remarquez que la région du cordon est rouge, enflée ou malodorante ou qu'il en sort du pus, c'est signe d'infection. Téléphonez alors à votre médecin dès que vous croyez que le bébé a une infection du cordon. Après que le cordon soit tombé, nettoyez encore l'ombilic pendant quelques jours.

Soin des yeux

Après la naissance, l'infirmière applique des gouttes spéciales (ou un onguent) dans les yeux du nouveau-né afin de traiter toute infection des yeux qui aurait été contractée au contact de microbes au moment de l'accouchement. Si vous ne constatez aucune rougeur ou écoulement qui pourrait indiquer une infection de l'œil, il vous suffira, pour les garder propres, d'essuyer ses yeux avec un linge humide au moment de sa toilette. Si vous pensez que votre bébé a une infection aux yeux, téléphonez à votre médecin ou à l'infirmière de santé publique.

Les vêtements du bébé

Votre bébé a les mêmes besoins que vous en fait de vêtements. En hiver, il portera probablement une camisole, une chemisette (ou un pyjama), un chandail, un vêtement pour couvrir ses jambes, des chaussettes ou des petits chaussons et un esquimau. En été, il sera souvent plus à l'aise en couche et en T-shirt. Le bébé devra sans doute porter plus de vêtements que vous dans les voitures et les pièces climatisées, car il ne bouge pas beaucoup et est enclin à perdre plus rapidement que vous sa chaleur corporelle.

Le bain du bébé

La propreté du nourrisson est capitale, mais il n'est pas nécessaire de lui donner un bain tous les jours avant qu'il ne commence à ramper. Le bain-éponge est idéal pour les jours qui suivent la naissance ou jusqu'à ce que le cordon soit tombé. Vous pouvez utiliser, pour le laver, un savon doux pour bébé. Si le bébé a la peau asséchée, appliquez une crème hydratante (p. ex., la base Glaxal®). Accordez une attention particulière au cuir chevelu et aux replis de la peau. Après 2 ou 3 jours de vie hors de l'utérus, la température centrale du bébé se sera suffisamment adaptée pour que vous puissiez lui donner un bon bain même si le cordon n'est pas encore tombé. Les baignoires pour bébés sont plus sécuritaires que la baignoire familiale. Assemblez d'abord ce dont vous aurez besoin. Versez ensuite 2 pouces d'eau chaude dans la baignoire pour bébé et, pour qu'elle ne soit pas trop chaude, vérifiez la température de l'eau avec l'intérieur de votre poignet. Ne laissez jamais, même pour une seconde, l'enfant sans surveillance dans la baignoire.

Les repas du bébé

Le temps consacré aux repas du bébé sont des moments précieux pour vous deux. L'enfant se nourrit tout autant de l'amour et de l'affection qu'il ressent lorsque vous le tenez dans vos bras. Les nourrissons éprouvent une grande satisfaction à sucer et à être repus de lait chaud. Bon nombre de nouvelles mamans sentent qu'il se développe des liens très étroits entre elles et leur nouveau-né quand elles le nourrissent. Pour le nouveau-né, le moment du repas, c'est le bonheur parfait.

La Société des obstétriciens et gynécologues du Canada ainsi que la Société canadienne de pédiatrie reconnaissent que le lait maternel est le meilleur aliment possible pour le bébé au moins jusqu'à l'âge de 6 mois, sinon plus longtemps. Aucune préparation pour nourrissons ne peut l'égaler bien que plusieurs s'en approchent.

Dodo sur le dos!

Selon les recherches les plus récentes, coucher votre bébé sur son dos peut réduire le risque de mort subite du nourrisson (MSN). Santé Canada a publié des précautions qui vous permettent de réduire le risque de MSN. Pour de plus amples renseignements, veuillez composer le 1-800-363-7437

Quand doit-on appeler le médecin?

Téléphonez immédiatement à votre médecin si le bébé :

- fait une fièvre de plus de 38,5 °C (100 °F);
- est en état de crise (mouvements involontaires du corps, des bras, des jambes);
- éprouve des difficultés respiratoires (aspire avec peine, a les lèvres et les lobes des oreilles d'un bleu-gris);
- est pâle, a la peau froide et humide au toucher;
- vomit assez abondamment, plus de 2 fois par jour (à ne pas confondre avec la régurgitation);
- a plus de 2 épisodes de diarrhée par jour (selles abondantes et liquides);
- passe du sang et des caillots;
- mouille moins de 6 couches par jour;
- ne s'allaite pas bien ou refuse de boire;
- semble faible, pleure peu;
- pleure plus que d'habitude, d'une façon différente, semble inconsolable;
- a des changements de comportement, semble différent, est moins alerte lorsqu'il est éveillé et dort plus que de coutume.

Un bébé, même en santé, peut soudainement devenir malade. Si, pour une raison ou pour une autre, vous êtes inquiète au sujet de votre bébé, téléphonez à votre médecin.

Réduire le risque de la Mort subite de nourrisson (MSN)

- Si votre bébé est sain et normal, placez-le sur son dos pour dormir.

- Assurez un milieu sans fumée ni drogue pour tous les enfants.

- Habiller et/ou couvrir votre bébé de façon qu'il n'ait pas trop chaud, même s'il est malade.

- L'allaitement entraîne des bienfaits importants pour la santé du nourrisson et peut aider à le protéger contre la MSN.

- Un matelas ferme et plat, des draps et des couvertures légères, selon le besoin, mais rien pour maintenir la position de sommeil, sont conseillés.

Conseils pour l'allaitement

- Avant de quitter l'hôpital, demandez à l'infirmière de vérifier si le bébé prend bien le mamelon.

- Au cours de la journée, buvez souvent de l'eau.

- Adoptez une position confortable avant d'allaiter. Rassemblez tout ce dont vous aurez besoin afin de ne pas avoir à vous lever.

- Faites faire un rot au bébé avant de commencer.

- Offrez-lui d'abord un sein et laissez-le téter tant qu'il en a envie.

- Lorsqu'il aura terminé, le bébé va s'endormir, cesser de téter ou abandonner le sein.

- Prenez une pause. Faites roter le bébé, changez sa couche souillée ou mouillée et lavez-vous les mains. (Ce sera alors souvent suffisant pour que le bébé s'éveille et continue à se nourrir. L'allaitement est une activité fatigante pour un nouveau-né.)

- Offrez l'autre sein au bébé. S'il refuse de le prendre, assurez-vous de commencer l'allaitement avec ce sein la prochaine fois.

- Pour vous rappeler par quel sein commencer la prochaine fois, accrochez une épingle de sûreté sur ce bonnet de votre soutien-gorge ou servez-vous de votre bague que vous changerez de main.

- Vous pouvez faire téter votre bébé aux deux seins à chaque repas ou donner un sein à un repas et l'autre au repas suivant. Les deux options sont bonnes. La production de lait est plus abondante lorsque tout le lait est extrait de vos seins à chaque repas.

- Au début, allaitez votre bébé fréquemment, de façon à stimuler la production du lait et à éviter l'engorgement (voir page 106).

- Si vous allaitez votre bébé, abstenez-vous de lui offrir un biberon ou une sucette. La différente technique de succion requise peut créer de la confusion chez le bébé.

- L'allaitement fréquent peut vous fatiguer. Si possible, demandez de l'aide pour faire faire le rot du bébé et pour changer sa couche entre les tétées.

L'allaitement

Le lait maternel, incluant le colostrum des premiers jours, convient parfaitement aux besoins de votre bébé. Il contient, dans une proportion exacte, tous les éléments qui contribuent à sa croissance. Il est toujours à la bonne température, ne coûte rien et est toujours disponible. En outre, l'allaitement aide à vous faire perdre du poids et stimule le retour de votre utérus à sa taille normale. Enfin, l'allaitement favorise la création de liens uniques entre vous et votre enfant.

Au tout début, vos seins sécrètent du colostrum, une substance jaunâtre et épaisse qui s'apparente au lait. Il contient des vitamines, des protéines et des anticorps qui protègent votre bébé des infections. Pendant leurs premières journées de vie, les bébés peuvent subsister sur leurs réserves de gras et de liquides. Voilà pourquoi les bébés perdent du poids au début. Le colostrum suffira à votre bébé les premiers jours. Ce n'est pas nécessaire de lui donner de l'eau ou une préparation pour nourrissons. Le lait viendra en abondance d'ici 2 à 3 jours.

Première tétée

L'heure qui suit l'accouchement est le moment idéal pour la première séance d'allaitement, au moment où le bébé est très alerte et intéressé à sucer. Les infirmières vous demanderont si vous désirez allaiter et vous aideront la première fois. Ce ne sont pas tous les bébés qui savent s'alimenter de façon innée, mais il vaut mieux profiter de cette période pour ammorcer l'allaitement. Assurez-vous d'avertir à l'avance le personnel de l'hôpital que vous désirez que le bébé partage votre chambre (cohabitation) afin de pouvoir l'allaiter sur demande. Les tétées fréquentes stimulent la production de lait.

Positions pour l'allaitement

Il y a plusieurs positions confortables pour allaiter; voici quelques suggestions.

Étendue sur le côté

Étendez-vous sur le côté, la tête supportée par quelques oreillers. Couchez le bébé la tête contre le sein qui est le plus bas. Calez une couverture ou une serviette enroulée derrière le dos du bébé.

Assise, le bébé dans ses bras comme dans un berceau

Asseyez-vous confortablement. Soutenez, d'un oreiller, le bras qui supporte le bébé à la hauteur du sein. Approchez la tête du bébé de votre sein pendant que ses jambes sont sur votre abdomen.

Assise, le bébé dans ses bras comme un ballon de football

Asseyez-vous confortablement. Placez le bébé de façon qu'il rentre sous votre bras et que ses orteils pointent vers votre dos. Placez un oreiller pour soutenir sa tête à la hauteur de votre sein. (C'est la position idéale lorsque vous avez eu une césarienne, car il n'y a alors aucune pression sur votre abdomen.)

Comment s'y prendre

Vous et votre bébé mettrez quelque temps à vous familiariser avec l'allaitement. Le bébé a un besoin inné de sucer. Caressez sa joue du doigt; il tournera aussitôt sa tête dans votre direction et ouvrira la bouche. Placez alors votre mamelon dans la bouche du bébé et il commencera à téter. La succion fera couler le lait. Au cours des 24 heures qui suivent sa naissance, le bébé s'allaitera pendant 3 à 5 minutes à chaque sein, et ce, probablement à 2 ou 3 heures d'intervalle. Par ailleurs, il est possible que votre bébé ne prenne qu'un sein et refuse l'autre.

Lorsque vous commencez à allaiter, procédez de la façon suivante :

1re étape : installez-vous confortablement

Gardez des oreillers à la portée de la main pour appuyer votre bras; tenez votre bébé de près, sa tête au creux de votre bras et tournée vers le sein, son ventre contre le vôtre.

2e étape : taquinez le bébé

Soulevez votre sein dans votre main libre et alignez le mamelon avec la bouche du bébé. Effleurez la lèvre du bébé avec votre mamelon et attendez que sa bouche s'ouvre BIEN GRANDE (comme pour bailler). D'un mouvement rapide, dirigez aussitôt la tête du bébé vers le sein et mettez le mamelon dans sa bouche. C'est ce qu'on appelle prendre le sein. Veillez à ce que la plus grande partie possible de l'aréole, la région plus foncée qui encercle le mamelon, soit dans la bouche du bébé. Le nez et le menton du bébé touchent le sein, et on ne voit plus l'aréole, sauf peut-être une petite partie autour de la bouche du bébé. Si le bébé n'a pas saisi une portion suffisante de l'aréole, il sucera le mamelon seulement; ce dernier deviendra douloureux et le bébé n'obtiendra pas assez de lait. Il est d'importance capitale que le bébé prenne le sein correctement : c'est la clé du succès de l'allaitement. Lorsque le bébé n'a pas correctement pris le sein, faites cesser la succion et recommencez.

3e étape : faire cesser la succion

Pour arrêter le bébé de téter, glissez votre petit doigt dans le coin de sa bouche et appuyez légèrement vers le bas. La succion devrait être interrompue. Vous pouvez utiliser cette méthode chaque fois que vous voulez arrêter le bébé de téter et éviter d'avoir les mamelons endoloris. Répétez la 2e étape si vous voulez redonner le sein au bébé.

Difficultés fréquentes de l'allaitement

Seins sensibles et endoloris

Portez, le jour et la nuit, un soutien-gorge d'allaitement bien ajusté qui soutient bien votre poitrine. Variez les positions d'allaitement de façon à ne pas toujours avoir de la pression au même endroit. Veillez à accorder le même temps d'allaitement à chaque sein. La meilleure façon de prendre soin de vos seins est de vous assurer qu'à chaque fois, le bébé prenne correctement le sein.

Mamelons douloureux

Au cours des premières journées de l'allaitement, il est normal que les mamelons soient sensibles au moment où le bébé prend d'abord le sein. La sensation ne devrait durer que durant la soixantaine de secondes qui suivent et disparaître complètement au cours de la première semaine. Lorsque les mamelons continuent à être douloureux pendant toute la tétée ou même après le repas, quelque chose ne va pas.

Demandez à l'infirmière du service d'obstétrique ou à l'infirmière de santé publique de vérifier votre technique d'allaitement. Veillez à ce que le bébé prenne bien le sein. Si c'est là le problème, faites cesser la succion et recommencez à donner le sein au bébé. Donnez-lui d'abord le sein le moins endolori. Allaitez souvent, dès que le bébé y démontre de l'intérêt. Les pleurs ne signalent que tardivement la faim; à ce moment, le bébé sera trop affolé par la faim et ne prendra pas le sein correctement.

Pour soigner le mamelon, appliquez l'onguent fourni à cet effet à l'hôpital ou une crème à la lanoline modifiée, par exemple, Pure-Lan® ou Lansinoh®. Évitez le savon, car il assèche la peau et en retire les huiles naturelles. Après avoir allaité, enduisez le mamelon de lait et laissez-le sécher à l'air libre. Le lait maternel contient du gras aux propriétés antibactériennes et antivirales ainsi que d'autres éléments aux propriétés curatives et protectrices. Insérez des compresses de tissu ou de papier dans les bonnets de votre soutien-gorge pour absorber l'écoulement de lait. Remplacez-les souvent pour garder le mamelon au sec. Entre les séances d'allaitement, placez des serviettes froides et humides ou des glaçons sur les mamelons pour diminuer l'enflure.

Engorgement

L'engorgement est une question d'offre et de demande. Les seins deviennent engorgés (gonflés de lait) lorsque le lait disponible est plus abondant que l'appétit du bébé. Au bout d'un certain temps, les seins réagiront en ne produisant pas plus que la quantité de lait qui convient au bébé. Il est donc important d'allaiter votre bébé de façon régulière sans sauter de repas. Les seins engorgés peuvent être durs, bosselés et endoloris parce que les glandes lactifères sont trop pleines de lait. Lorsque les seins sont trop enflés, le mamelon s'applatit et le bébé peut avoir de la difficulté à bien le saisir. Dans ce cas, il faut extraire du lait pour soulager la pression du sein et permettre au mamelon de poindre.

Obstruction des conduits lactifères

Lorsqu'une partie du sein devient enflée, sensible et chaude, il faut craindre l'obstruction des conduits. Dans ce cas, il vaut mieux stimuler les glandes lactifères en appliquant des serviettes chaudes et humides sur les seins avant de procéder à l'allaitement. Ensuite, pour que le lait se rende au mamelon, massez les seins pendant la tétée, en commençant sous l'aisselle. Veillez à ce que le bébé prenne bien le sein. Allaitez fréquemment pour permettre au lait de bien couler. Buvez plus de liquides pour que les conduits se vident mieux. Prenez un comprimé de Tylenol® environ 20 minutes avant d'allaiter. Après la tétée, placez des compresses froides et humides sur vos seins pour réduire l'enflure.

Mastite

La mastite est l'infection d'une ou de plusieurs des glandes lactifères. Vous aurez des symptômes semblables à ceux de la grippe, notamment de la fièvre et des frissons, et vos seins seront rouges et chauds par endroits. Téléphonez tout de suite à votre médecin. La mastite est une infection grave, mais facilement traitable aux antibiotiques. Prenez beaucoup de repos.

L'allaitement au biberon

Le lait maternel est sans doute le meilleur aliment qui soit pour nourrir le nouveau-né pendant ses 6 premiers mois de vie; cependant, le lait maternisé vendu sous forme de préparation pour nourrissons est aussi une bonne façon de nourrir votre bébé. Les mères qui optent pour la préparation lactée tisseront des liens également profonds avec leur enfant.

Choix de la préparation

Il est important de bien choisir la marque de la préparation de lait maternisé. Si vous ne savez quelle marque utiliser, consultez votre médecin ou l'infirmière de santé publique. La plupart des préparations sont élaborées à partir de lait de vache qu'on a modifié pour qu'il ressemble le plus possible au lait maternel. Un certain nombre de bébés digèrent difficilement les préparations à base de lait de vache. Dans ces cas-là, on recommande d'utiliser une préparation à base de lait de soja. Veillez à vous servir de préparations pour nouveau-nés et non de celles qui sont fabriquées pour des bébés plus âgés. Les préparations sont vendues sous trois formes différentes : en poudre à laquelle il faut ajouter de l'eau, en concentré liquide auquel il faut également ajouter de l'eau ou en préparation prête à servir. Ces trois formes de lait maternisé alimentent également bien le bébé pourvu qu'on les prépare selon le mode d'emploi.

Stérilisation du matériel

Il n'est pas toujours nécessaire de stériliser les biberons et les tétines que vous utiliserez pour nourrir le bébé, mais il faut toujours que le matériel soit propre. Lavez le tout dans de l'eau chaude et savonneuse et rincez soigneusement pour enlever le savon. Laissez sécher à l'air libre. Il y a des mères qui préfèrent stériliser bouteilles et tétines jusqu'à ce que le bébé ait atteint l'âge de 6 mois ou lorsque le bébé est malade. L'opération est facile. Il s'agit de couvrir d'eau le matériel que vous avez placé dans une marmite suffisamment grande. Faites bouillir l'eau pendant 5 minutes. Au moyen de pincettes, retirez les bouteilles et les tétines de l'eau, versez-y la préparation et fermez bien le tout.

Pourquoi les bébés pleurent-ils?

Jusqu'à l'âge d'environ 2 mois, les bébés pleurent souvent. C'est vraiment l'unique moyen qu'ont les nouveau-nés pour communiquer leurs besoins et leurs sentiments (ils ont faim, sont mouillés, fatigués, se sentent isolés, incommodés, ont trop froid, trop chaud ou se sentent frustrés pour toute autre raison).

D'autres fois, il ne semble y avoir aucun lien entre les pleurs et les besoins élémentaires du bébé. Quatre bébés sur 5 semblent, de façon inexplicable, s'adonner tous les jours à des crises qui peuvent durer entre 15 minutes et une heure. Il peut être très frustrant de ne pouvoir découvrir pourquoi son bébé pleure. Parfois, vous lui aurez donné à boire, l'aurez changé de couche, caressé et essayé tout ce à quoi vous pouvez penser sans qu'il cesse de pleurer. Vous vous sentirez probablement inefficace, frustrée et même en colère.

Ne secouez jamais votre bébé

Éloignez-vous de lui

Demandez de l'aide

Aller chercher de l'aide lorsqu'on n'en peut plus

Prendre soin d'un bébé peut être une tâche difficile. Vous pouvez avoir besoin d'aide. Bon nombre de nouvelles mamans en ont besoin. Afin de protéger votre bébé, vous devez maîtriser la situation et obtenir l'aide nécessaire. Ne secouez jamais votre bébé. Un traitement brutal, par exemple d'être jeté dans son berceau, risque de lui causer une lésion cérébrale.

Lorsque vous êtes très en colère et très frustrée... et que vous ne pouvez plus supporter les pleurs et l'agitation du bébé une seconde de plus, vous êtes vraiment à bout et craignez de perdre la tête ou la maîtrise de vous-même ou de faire mal à votre bébé...

Laissez alors votre bébé dans un endroit sécuritaire (par ex. dans son berceau ou sur le plancher lorsqu'il ne peut encore ramper), sortez de la pièce, fermez la porte et éloignez-vous des pleurs du bébé, dans une autre partie de la maison (même si le bébé pleure, il ne lui arrivera rien de mal pendant quelques minutes).

Maîtrisez vos sentiments... exprimez-les en libérant votre rage—frappez un oreiller, un matelas, criez, hurlez et frappez du pied. Soyez en colère sans faire de tort au bébé! Inspirez profondément, détendez-vous et comptez lentement jusqu'à 10. Reprenez vos esprits!

Maintenant, allez chercher de l'aide. Téléphonez à quelqu'un sans tarder un seul instant.

Téléphonez à quelqu'un en qui vous avez confiance ou qui peut vous aider à obtenir l'aide dont vous avez besoin :

- une personne qui vous est chère, un membre de la famille ou votre conjoint,
- l'hôpital où vous avez accouché,
- l'infirmière de santé publique ou votre médecin.

Ateliers à l'intention des parents

Dans la plupart des communautées, on offre des ateliers qui favorisent l'apprentissage de l'art d'être parents. Ces ateliers offerts à l'intention de tous les parents visent à donner de l'assurance aux parents novices. Ils offrent de plus, aux nouveaux parents, l'occasion de partager leur vécu avec d'autres nouveaux parents qui vivent aussi les mêmes problèmes et les mêmes joies. Ils sont particulièrement utiles à ceux dont c'est le premier bébé et aux nouveaux parents qui sont très jeunes.

Au cours de ces ateliers, on vous enseignera les techniques essentielles de l'art, notamment l'alimentation, le changement de couche, le bain en plus de traiter de différents sujets comme la sécurité du bébé, la rivalité fraternelle et la façon de composer avec la frustration. Si vous et votre conjoint êtes de nouveaux arrivants au pays, les ateliers peuvent vous aider à combler les différences culturelles que vous pourriez ressentir à élever un enfant au Canada.

Pour ceux et celles qui éprouvent de la tristesse en pensant à la façon dont leurs parents les ont élevés et qui désirent mieux élever leurs propres enfants, les ateliers sur l'art d'être parents peuvent être particulièrement précieux. Ce sera l'occasion de briser le cercle et de recommencer à neuf avec votre famille au moment où vous entreprenez la tâche d'élever un enfant sain et heureux, tâche quelquefois difficile, mais qui a toujours sa récompense.

Sites Web utiles*

Fédération pour le planning des naissances du Canada	www.ppfc.ca
Institut canadien de la santé infantile	www.cich.ca
Jumeaux et naissances multiples	www.nomoct.org
	www.twinsmagazine.com
Lamaze international	www.lamaze-childbirth.com
Ligue La Leche International	www.lalecheleague.org
Nausée et vomissements	http://health.ucsd.edu/guide/t0167.htm
	www.motherisk.org
Nutrition du nourrisson né à terme et en santé	www.hc-sc.gc.ca/hppb/enfance-jeunesse/sejf/nutritionnourrisson.htm
Programme *Motherisk*	www.motherisk.org
Santé des femmes (général)	www.stjosephs.london.on.ca/
	SJHC/programs/women/women.htm
Société canadienne de pédiatrie	www.cps.ca
Société des obstétriciens et gynécologues du Canada	www.sogc.org
VIH/SIDA et grossesse	www.cdnaids.ca

* Veuillez prendre note que certains de ces sites ne sont disponibles qu'en anglais.